ある文明の終焉

無とニヒリズム

堀江秀治

文芸社

まえがき

本書は私の思想を分かり易く理解してもらうために記したものである。だからと言って安易な著作でないことは、本文を読んでいただければ分かるはずである。それに私自身、新しい発見もあった。

本書の副題、無とニヒリズム（虚無）とは、日本文明と西洋文明との違いを、明らかにしたものである。

だが正直これも難解である。それは西田幾多郎を理解できる者なら分かるはずである。

ただ、私と西田と唯一異なる点は、私がニヒリストであることである。従ってニーチェへの言及も多くある。また、それに関連して民主主義、三島由紀夫の謎についても言及した。

が、いずれにしろ私の有利さ（不幸さ）として、私が西田とは違った視点で見るに至ったことである。

なお、第四章以降は追記した部分である。

目次

序章　私が思想家にならざるを得なかった天命

私の一生は、ほぼ無とニヒリズム（虚無）とに翻弄されたそれと言ってもよい。あえて言えば、その地獄のような人生からようやく、そのなんであるかを前作『人類の没落』によって理解し、また同時にそれによって一切が吹っ切れたから、ここに私の思想を分かり易く書き記そうと思い立ったのである。

言ってみれば、それまでは愛する者が瀕死の床にあるのを見て私も苦しんでいたが、今は死体を見る医者の目になった、ということである。

私にとって日本は、昭和二十年八月十五日に完全に滅んだから——実質的には明治維新と言ってよい——戦後日本とは、私にとってただアメリカ製「民民ゼミ」の鳴き声が、多少耳障りな土地という程のものでしかない。従って時間が余ったから書いていると言えなくもない。

幸か不幸か、私は少年期を田舎で過ごすことによって「無」というものを知ってしまった。むろん当時の私にその自覚はない。それを自認するに至ったのは、中年以降のことである。

私は少年期に東京という資本主義社会に投げ込まれたとき、すでに骨の髄まで無に染まり、——それを理解できなかっただけで——それによってまったく社会に適応できず、言わば人生の落伍者になってしまった。

が、その本質を私は無意識にも知っていたのかもしれない。なぜなら私は二十歳のとき、二つのことを誓ったのだから。

一、子孫を残さぬこと

二、自殺しないこと

後者の誓いは結構、歯止めになった。

また三十歳の頃、あることに気づいたが、当時それをそれほど重大なことだとは考えなかった。

それは友人と議論をしているとき、突然、私は自分の喋っていることが、親の躾、学校教育、社会慣習、書籍、新聞等から得た知識（情報）を鸚鵡（おうむ）返ししていることに気づいたのである。つまり洗脳されているだけなのだと。

その後、私は洗脳されていない「私とは何か？」ということに悩まされ、と同時に社会に適応できぬことから隠遁生活に入った。

と言ってしまえば話は簡単なのだが、それは同時に、一切の価値判断を停止することでもあった。つまり私は自分の意見をまったく持たず、「0（ゼロ）」から思想することになったのである。それが私の思想に四次元、三次元、進化等が多出する理由である。それによって私は膨大な時間と苦痛とを強いられることになった。

が、ここではその結論を先に言っておこう。

「私」という存在の主張する意見とは、まったくの無根拠であり――洗脳されているだけなのだから——従って明確に根拠のある「私」などというものは存在しないと。
　それは戦後の日本人とは、西洋思想をただ暗記鸚鵡のように喋るだけで、その喋る内容の根拠を一切持たぬし、また考えようともせぬ、ただ意味のないことを喋る幼稚園児並みの頭脳だ、ということである。

第一章　無とニヒリズムとの基本定義

私は自らの「考える」根拠を見つけるために、視点を変えてみることにした。生命とは何か、から入ることにしたのである。ヒトも生命進化の末にそこに至ったのだから、その考え方に妥当性はあろう。それに生命医学は、ヒトの脳には今も爬虫類以来のそれのあることを証明している。つまりヒトの脳が爬虫類からのそれを持っているということは、それの持っていた本能をなんらかの形で受け継いでいる、ということである。

では進化とは何か?

進化とは、生命が生き延びるため、食うか食われるかのなかで、強者が弱者を食う弱肉強食の世界であるのが基本だが、しかし進化のメカニズムからいうと必ずしもそうとは言えない。

生命は環境（自然）から情報を得、それを「生の下降」として本能（あるいはそれに類するもの）へ下降し、そこであえて言えば（そう言うしかないという意味）、そこで「考え」ることによって、環境に適応できるような身体に「生の上昇」を通して「変異」し実現するものだと。従って弱肉強食とは言っても、弱者はそれなりに「考え」て環境に適応できるように変異するから、必ずしも弱者というわけではない。

たとえば擬態という言葉があるが、ある昆虫が自然環境そっくりな姿に似せて身を守ることなどは、環境から情報を得、それを本能において「考え」環境に適応できるよう変異したものだ、と考えられる。

そして人類（ヒト）がサルから進化したのも、弱者であるサルが文字通り「考える」ことによって、知恵を持つヒトにまで進化することで、生き延びることができたのである。

そうしたメカニズムはヒトになっても変わらず、弱者が「考える」ことによって強者を倒すのは、たとえば革命一つにも見て取れる。

そこで取りあえず次のことが言える。

ヒトが脳に爬虫類のそれの一部を保存しているということは、「超歴史的古層」にそれを保存している、ということである（ここで用いる歴史的古層とは、西田の言う「人間は何処までも無限に深い歴史的バラストを脱することは出来ない」とほぼ同義である）。

そうであれば、サルから進化したヒトが、サルの「歴史的古層」を持つ存在となるのは自然であり、さらに文字通り「考える」ことを覚えたヒトが、弱者ではあっても「考える」ことで革命を起こせたことでも分かろう。

それを別の面から見ると、サルから進化したヒトは、なんらかの形でサルの本能を保存していることになる。それを「本能的価値」と呼び、それは四つに分けられる。「食餌、生殖、闘争、群れの諸本能的価値」である。

なお、ここで一つ注意しておかねばならぬことがある。それはすでに記したように「サルから進化したヒトは、なんらかの形でサルの本能を保存している」ことに関連していることである。つまり進化とは、ある日突然「サルの本能」が、ヒトの「本能的価値」に変異したわけではなく、そこには長い時間が掛かっている。従ってその表現方法において、必ずしもヒトの「本能的価値」と表記するよりも、時には「ヒトの本能」とする方がより実情に合っていると思えることがあるが故に、私はその手法を採用することにした。ただしこれは、それ程重要なことではなく、読者の混乱を招くことを恐れて記したまでのことである。前後の文脈から判断すればある程度分かることである。なお、必要な場合はその都度、注記する。

なお話は変わるが、ここに一つの重要な前提として記憶に留めておいてもらいたいことがある。それは生命は本質的に「群れ」であって、単独者として「私は考える」ことはできぬ存在だ、ということである。

私が戦後の日本人を幼稚園児並み、と言ったのは、そのことがまったく分からず「私は考えている」と思っていることである。彼らはただ他者の知識の暗記鸚鵡に過ぎぬ、という自覚が持てない。

ところで私は「価値」という用語を用いたが、これは「言語」と同義語である。では、ヒトは生きるための知恵として生み出した、言語（価値）とは何か、ということが問題になる。

一寸ややこしくなるが我慢してもらいたい。

それは宇宙が四次元だということである。科学的には、三次元空間に時間を加えたものである。しかし科学がどう言うかなど、この際なんの意味もない。科学はゲーデルの言うように無根拠であるのに対し、生命は「生を上昇」させているのが現実だからである。

ちなみに、この「生の上昇」とは、ニーチェの「力（権力）への意志」を私風に解釈したものである。

宇宙をどう定義しようとも、生命にとってそこは無と無限とから成る混沌流動とした（無の根拠はここにある）、なんの価値もない、ただ「生を上昇」させる場所でしかない。そこは絶対時間・空間の存在しない四次元世界であって、それはアインシュタインの特殊相対性理論によって証明されている。絶対時間が存在しないとは、時計の時間が通用せぬということである。

そこでサルから進化したヒトは、その混沌流動とした四次元世界にあって、生を上昇させるために価値（言語）によって、その世界を言語を用いて自己の生存の拡大に有利な方向に切り分けたのが、言語（価値）から成る時間と空間（三次元）との世界である。

では、なぜ切り分けることができたのか？

すでに記したように、生命は環境から情報を得、それを本能に下降し、そこで「考える」ことによって環境に適応できるよう変異し、それをもって生を上昇させ環境に適応してきた。

それをヒトは、その無と無限とから成る四次元世界を、その情報の下降および生の上昇を言語（価値）化し、言語情報の下降および言語情報の上昇とし、その交差するところに言語から成る意識の流れを生み出したのである。そしてその意識の流れが「有る」となり、それを時間と空間とに分離して生きるのがヒトである。

そうであれば、ハイデガーの『存在と時間』など意味を持たない。

この事実は、これまで述べてきた歴史的古層、本能的価値と共に重要な意味を持つ。

つまりサルは混沌流動とした四次元という本能（無）の世界を生きていたが、ヒトは時間と空間（三次元）とに分離した世界を生きることになった。ここに初めて絶対時間が存在し得、時計が意味を持つことになった。

そのことはヒトがサルの歴史的古層、本能的価値を持ったのと同様に、サルの四次元身体（無）を持つことになった、ということでもある。

しかしサルの無と無限とから成る混沌流動とした四次元身体（これはヒトがサルの本能を属性として持っている、ということである）から進化したヒトは、そのままでは当然、存在し得ない。なぜなら言語（価値）化した身体にまで進化したのだから。つまり四次元世界を、時間と空間（三次元）とに切り分けた世界を生き、そのように世界を見る三次元化したヒトは、もはやそのような身体では存在し得ぬことになる。すなわちヒトはその歴史的古層に、サルの四次元身体（本能）を持ちながら、同時に、意識という三次元身体をも生きる存在になったのである。そのことは、ヒトは歴史的古層、本能的価値と共に、本能という四次元身体を持ちながら、意識という三次元身体をも生きる存在になったのである。

ここでなにが問題かと言えば、四次元身体とは生命（サルの本能）が本来もつ無であるのに対し、三次元身体とは、言語（価値）によって切り取られた意識の流れという虚構（嘘）だということである。そして日本人（それは武士、禅者であって農工商という暗記鸚鵡の「村」人〈戦後の日本人〉は問題外）は、その無を根拠に「考え」、西洋人は「意識」（有）を根拠に「考える」存在になったのである。

ここで「意識」で「考える」というのは分かると思うが、「無」で「考える」とはどういうことか、と思われる人もいるだろう。

無は四次元身体（本能）であるからして、当然そこで「考える」ことはできない。つまり四次元生命である野性動物（サル）は、「死は損、生は得」などとは考えない。そう「考える」のは意識の「有る」がそうさせるのである〈戦後の日本人の平和観はこれに基づいている〉。しかし生命の世界は本質的に、食うか食われるかの戦争社会であって、「死は損、生は得」などと言っていたら、それこそ生き延びられない。そこで武士はその意識を捨て、野性の無である四次元身体という「肉体の思想」（本能）に達するため修行したのである。

だから『葉隠』は「死は損、生は得なれば死ぬる事をすかぬ故、すくたるるものなり。又学問者は才智弁口にて、本体の臆病、欲心などを仕かくすものなり」と言ったのである。つまり武士にとって意識「有る」は虚構であって、「本来のおのれ」は四次元身体である無（本能）にあるとし、そこから無自覚に意識を見上げることによって「考えた」のである。

それに対し西洋人は、意識「有る」の世界を生きており、しかもそこは戦争社会であったから、その「有る」を保証してくれるものがなければ戦争はできない。それを保証したのがキリスト教である。

この間の事情を西洋人である程度、分かっていたのがニーチェである。

彼は「主体は虚構である」と言い、また「意識にのぼってくる思考は、その知られないでいる思考の極めて僅少の部分、いうならばその表面的部分、最も粗悪な部分にすぎない」と言い、さらに『ツァラトゥストラ』では「肉体のなかに住む『本来のおのれ』」と言っている。つまり肉体のなかにある無というものをある程度分かっていた、ということである。

ただ西洋では、その「本来のおのれ」に達しても無にならず、ニヒリズムになることが異なるのである（その間の事情は後述）。ただ一言っておけば、無（本能）は無であるからして、それを私がしたように言語化することはできない。私にそれを可能にしたのは、私が無を知り、また同時にニヒリズムに陥ったからである。

西洋においてこれと逆のこと、つまり意識から無を見下ろしたのが、意味はまったく異なるにせよ一応、フロイトとユングである。フロイトは意識から無を見下ろし、その四次元身体、本能的価値を無意識と言ったのであり、ユングは歴史的古層を見て集合的無意識と言ったのである。

私は彼らが逆のことを行ったと言ったが、意味的には似ても似つかない。

第二章　無

無とは、たとえば禅において座禅を通して身心脱落することによって、無の境地に達することだ、と言ったところで何のことだか分かるまい。

無に達するとはニーチェの言葉を借りれば、「肉体のなかに住む『本来のおのれ』」を知ることだが、彼の場合の「本来のおのれ」はニヒリズムだが、日本におけるそれは無だということである（その違いは追々分かってくると思う）。

この無は、たとえば武士においては剣術修行等、禅なら座禅による「肉体の行為」を通して「進化の逆行」によって本能的価値に達し、得られるものである。

それは原始のヒトにまで、進化の逆行によって価値を脱落させると同時に、本来、言語が持っている価値を空無化させること、つまり三次元身体（意識）を四次元身体（無）にまで脱落させ、また歴史的古層、本能的価値を原始のヒトのそれにまで脱落させることである。そしてその「進化の逆行」によって「肉体の無」（本能的価値）に達することで、そこから意識を見上げることによって、日本人は「考える」方法を生み出したのである。

むろんこれができたのは、武士、禅者だけであって、闘争本能的価値を退化させた歴史的古層をもつ「村」人には、まったく「考える」能力は発達しなかった。と言うと「村」人にも、たとえば商人にも「考える」能力はあるではないか、と言う人もいるかもしれぬが、それはあくまでルール内での「考える」であって、それはスポーツのように審判者の下で「考えている」だけで、戦（いくさ）のようなルールなしの下での「考える」のとは訳が違う。それは野性の思考と、躾（しつけ）内を生きるペットのそれとの違いである。

武士道や禅は、そうした「肉体の行為」を通して「進化の逆行」を行い野性の無に達したのである。

それはたとえば江戸時代、役にも立たぬ剣術修行を武士が行った理由もそこにあるのだが、無は言語によって定義できぬものだから、彼ら自身その価値が分からなかった。

その結果、明治維新になり、武士の廃刀令と共にその無の価値が失われることによって、日本人から「無私」で「考える」能力も失われていった。

だから日露戦争などという愚かな戦争をし、それが大東亜戦争へ、さらに戦後の民民ゼミへと繋がっていくのである。

そしてこれらの戦争は、ある意味シビリアン・コントロール（文民統制）の欠陥を暴露したと言ってもよい。つまり政治家にとって兵士が幾ら死のうと、痛くも痒くもないと言うことである。その欠点は西洋諸国に多く見られるものである。

それに対し、武士はシビリアン・コントロールを行わなかった。戦国武将は政治と軍事とを一人で担っていたから、兵士（部下）の信頼がないと武将として成り立たず、従って兵士を無闇に死なせるような戦はしなかった。

それは部下の信頼の篤かった武田信玄と、それがなかった織田信長とを比べれば分かることである。

ところで、福沢諭吉や西田が「考える」ことができたのは、「肉体のなかに住む『無』」を根拠としたからである。福沢は士風の無を、西田は禅のそれをもって「考える」ことができた。ただ両者の違いは、福沢が『学問のすゝめ』に書いているように、西洋文明を利用して「一身独立して一国独立する事」であって、そのためには「逃げ走る」「客分」（農工商という「村」人）ではなく、「主人」（武士）にならねばならぬと、あくまで西洋文明を外観から捉えたのに対し、西田は西洋哲学という西洋人の内面に足を踏み込んだから、悪戦苦闘することになったのである。

西洋人には金輪際、無は理解できず、――彼らが無に達するとニーチェのようにニヒリズムに陥る――彼らの生きている世界は肉体のない意識（有）のそれだから、それによって成立している西洋哲学を、無から理解しようとするのは水と油との関係に近い。

それに対して、福沢は生まれながらにしてほぼ武士と言っても良かったから、多分、簡単に誰もが武士に成れると思ったのだろう。だから「客分」に「主人」になれと言ったのである。

しかし「逃げ走る」「客分」とは、歴史的古層のものだから――それは闘争本能的価値が退化していることだから――そう簡単に改められるものではない。それは戦後の日本人が一向に「主人」になる気のないことからも明らかだろう。

戦後の日本人に「考える」能力がないのは、なんの根拠もなく「私は考える」と思っていることである。つまりあらゆる生命は群れ本能で生きているから、「私で考える」ことはできぬ、ということが分からない（そのことは後述する西洋人の「我」がいかにインチキ臭いものであり、それ故ニヒリズム化してしまったことが逆説的に示している）。日本人は自らの「私は考える」がなんの根拠もないものだ、ということを自覚できるだけの知能を持たない。

それは単に自分の幼稚園児並みの空っぽ頭が、その洗脳された暗記知識をもって、日本「村」人の「逃げ走る」「客分」の歴史的古層の上を、なぞっていることを「考える」ことだと思っているのである。つまり「考える」ということを歴史的古層において、一度も経験したことのない「村」人に、それが分かるわけがないのである。

こうした戦後日本人の質の悪さは、たとえばノーベル賞なら喜んで貰うが、文化勲章なんて要らねェよ、というところにも見て取れる。つまり家人（親）に褒められれば、幼稚園児だって嬉しがるのが普通なのに、それを「ふん」と言って顔を背け、隣のオジさんに褒められたからといって大喜びするようなものである。もっともオジさんが沢山の餌を与えてくれれば、ペットは喜んで尻尾を振るかもしれぬが。

そしてさらに自家（親）の悪口を言って、金を儲けて喜ぶ連中もいる。昔のヤクザなら「日本人なら日本人の筋目をきっちり付けてもらいましょうか」と言うだろう。それより質(たち)が悪いのである。

これは「無」を失ったことで「考える」能力を無(な)くした者の悲劇、ないしは喜劇である。

いずれにしても、私はもはや観劇する気にもなれぬ代物である。

そんな戦後の土壌であれば、日本三大愚者がもてるのも無理はない。丸山眞男、小林秀雄、司馬遼太郎である。

丸山はあれほど福沢を論じながら、彼のことがさっぱり分からなかったのは、丸山には福沢のもつ士風が無(な)かったから、「考える」ことができなかったのである。つまり丸山神話とは、戦後、真っ先に「間違った戦争」と言って、自家（親）の悪口を言ったところから生まれた代物なのである。彼は単に「勝ち馬に乗った」だけなのである。

また小林の人気は、小林節という演歌のような、節回しはいいが歌詞のさっぱり分からぬものである。彼にも無というものがなかったから「考える」ことができなかった。

それはたとえば西田を評して「日本語では書かれて居らず、勿論外国語でも書かれてはいないという奇怪なシステム」と言ってることからも明らかだろう。西田が「考える」という苦闘の末、たとえば「絶対矛盾的自己同一」という思想に行き着いたことが彼には分からない。小林には無がないから、言語を上っ面でしか読めぬのである。上っ面で読めば、西田の思想は「奇怪なシステム」かもしれぬが、しかし日本の思想と外国（西洋）のそれとがぶつかり合えば、多かれ少なかれそうなることが小林には分からない。

私に言わせれば、小林の文章には節はあるが、日本人でもない、西洋人でもない、自分が何人であるのかも分からぬ人間が書いた文章としか映らない。だから戦後の、自分が何人なのかも分からぬ、ただ日本人と名の付いただけの日本人に人気があるのである。

そして司馬には、武士の無というものが皆目分からなかったから、幼児向け歴史マンガを大人向けの小説に改竄しただけなのである。彼の思考は所詮「勝てば官軍」観でしかなく、従って『葉隠』の「盛衰を以て、人の善悪は沙汰されぬ事なり」が分からない。つまり大衆の頭と同じだから、彼らに人気があったのである。

この国の国民は所詮、幼稚園児がアメリカという父兄のマネをする程度の知能しか持たぬのである。だから横文字が流行るのである。

第三章　ニヒリズム

デカルト

ニヒリズムも「進化の逆行」という意味では無と同じだが、日本人は「無私」（四次元身体）で「考える」ためにそこへ至る修行を行ったのに対し、そも意識（三次元身体）の思考で生きている西洋人に、無（四次元身体）はまったく意味を持たなかったし、理解もできなかった。しかも神秘体験（神とは関係ない）によって、たまたま進化の逆行が起こっても、西洋人においてはそこに至るのが無ではなくニヒリズムだ、という関係にあることである。それがニーチェである。

そも西洋においては、古代からニヒリズムを育む土壌があった。

まずそこが戦争社会であったことである。それは嫌でも国民に国家というものを「考え」させ、そのための議論を重ねさせることになった。それが彼らの歴史的古層となり、彼らが国家意識を持ち、演説に長けることになった理由である。

プラトンがその著作を対話体で書き、古代ギリシャに政治学が生まれた理由もそこにある。

さらにそこが戦争社会であったということは、死を真っ正面から見据えねばならぬという現実があった。そこにイデアのような思想が生まれることになった。そしてそれはその後、キリスト教に改竄され受け継がれることになった。

さらにキリスト教が砂漠に生まれた宗教だということは、そこがもともと「0(ゼロ)」の土地だということであり、従ってそこには「1(イチ)」から成る「有の数字」からなる欲望の世界を育む素因を持っていた。

その現実は彼らをして忽(たちま)ちにして『聖書』の教えを改竄し、その後押しをして戦争宗教化していくことになった。つまり戦争は、キリスト教の神に保証された価値の拡大としての善だということである。そのことは、ニヒリズムの本質にあるのが、このキリスト教による戦争狂であり、欲望狂だということである。

西洋思想をとことん煮詰めると、キリスト教、デカルト、ニーチェさえ理解できればすべて分かり、さらに日本の思想（無）のなんであるかも分かってくる。少なくとも私にとってはそうであった。つまりデカルトの神の保証による「我考える、故に我あり」に西洋思想の本質があり、ニーチェはそれに風穴を開けようとした異端者であったが、彼の思想はまったく理解されなかったし、今後もされることはないだろう。なぜなら彼らはそうした頭脳構造を持っていないから。それについては追々説明していく。

デカルトは「我考える、故に我あり」を「神の存在証明」によって保証した。その「神の存在証明」をおかしいという人は多くいる。しかしそういう頭、というか視点は、私に言わせればピントがずれている。なぜなら神の下の戦争狂、欲望狂とは、言わば自己偽善による、ある種の集団ヒステリーに陥っている人間であり、そんな彼らにそんなことを言っても意味がないからである。

ここで私の言う自己偽善という概念は、言わば西洋思想という有の思想の本質にあるものであり、それが分からぬと彼らの思想は理解できない。

それはすでに述べたように、ヒトは進化によって言語情報の下降と言語情報の上昇との交差するところに、意識の流れを生み出し、そこに時間と空間とから成る虚構（嘘）の世界を生み出した。

だが西洋人にそんなことを言っても無駄だろう。

そも西洋に科学が生まれながら、なぜ彼らにとってダーウィンの『進化論』が受け入れ難いものだったのか？

それは西洋文明（思想）が、石を積み上げたゴシック建築のようなものであり、その基礎にあるのがキリスト教だからである。つまり彼らの文明からキリスト教を抜き取ったら、その建物（文明）そのものが崩壊してしまうのである。

そうであれば、意識という虚構（嘘）の世界を生きる彼らは、自らの価値の拡大のためには、無意識にではあるが、自らに嘘をつき自らを騙すという自己偽善を行うことになった。つまり西洋思想とはアナトール・フランスの言う、「人は自分で神を作り出し、それに隷属する」自己偽善の上に成り立ち、それがエスカレートすると集団ヒステリー化するのである。

そうであれば、ニーチェなどは無意識にも誤読されることになる。彼の言う「神の死」は、二つの大戦を体験したヨーロッパ人には堪(こた)えただろうが、それでも彼らは間違っても自らの文明からキリスト教を抜き取ることはしない、と言うより出来ぬのである。当たり前の話だが。

そうであれば、彼らにとって神の性質がどんなものであろうと構わぬのである。つまり自分の都合（価値の拡大）で作り出した神であれば、別にデカルトの神であっても一向に差し支えないのである。

しかもデカルトの（有の）哲学は、彼らに都合よく身体（肉体＝無）も抜き取ってくれ、意識だけから成る「我考える」にしてくれたから、無意識にも戦争狂、欲望狂である彼らにしてみれば、肉体（群れ本能的価値）の軛を外してくれた彼の思想を否定する理由はない。

その上それが「人は自分で神を作り出し、それに隷属する」神であれば、当然それは自分に都合のよいものしか作らない。すなわち神とは、信者が自分に都合のよい問い掛けをすると「うん、うん」としか返事をせぬ存在だということである。しかし信者にしてみれば、自己偽善によって自己を騙してくれる神という絶対的存在を持たねば、自己の「有る」ことの根拠が持てぬことになるから、神はどうしても存在しなければならない。つまり西洋人にとって、そういう「からくり」神がないと存在し得ぬことをフランスの言葉は物語っている。

ところで私はフランスの文章を一行も読んだことがない。実はこれはスターリンの愛語なのである。つまりその「神」の部分を「共産主義」に入れ替えれば、彼らは自己偽善に陥り、集団ヒステリー化し、ロシア革命を起こせることを物語っている。

そうであれば、フランスのこの言葉は重大な意味を持つ、つまり宗教とは自己偽善に外ならぬと。

ここで話はやや逸れるが、この際どうしても述べておかねばならない。それは一神教（ここではキリスト教）と仏教とでは、同じ宗教の名は付けられていても、本質的にまったく異なるものだ、と言うことである。

日本人には、武士を除けば一神教というものがまったく分からない。それがパレスチナという砂漠に生まれた戦争宗教だ、ということである。

新渡戸稲造がその著書『武士道』の「第一版序」で記しているように、ド・ラヴレー氏が「あなたのお国の学校には宗教教育はない、とおっしゃるのですか」の質問に彼は「まごつき」、それがようやく「武士道」であることに気づくのである。彼自身、武士出身者であり、その後キリスト教に改宗したように、たとえ双方の思考メカニズムが異なるにせよ――武士道は「無私」で「考える」のに対し、キリスト教は「我考える」でも――共に絶対神を持つが故に、究極に行き着く先は近似だということである。だから彼の『武士道』は、その本質においてはキリスト教とは異なるにせよ、外見において近いものであったが故に、当時のアメリカ人に歓迎されたのである。

このことは大きな意味を持つ。それは双方とも、そのよし悪しは別にしても「考える」ことができたことである。それに対して戦後の日本人は、その能力のない空っぽ頭だから、猿マネ、付和雷同に走るしかないのである。

ところで「考える」ことのよし悪しとは、それが「人は自分で神を作り出し、それに隷属する」ところのものであるからして、その自己偽善を通して他人を騙し、集団ヒステリーに陥らせることもできる、ということである。スターリンはむろん、ヒトラー、F・ルーズヴェルトなどがそうである。

どうして自己偽善を通して、絶対的価値である神を生み出し、それに隷属しなければならぬのかと言えば、人類はその古層（四次元身体）に群れ本能的価値を持っているから、「我」（私）で「考える」ことはできない。そこで虚構（嘘）を生きるヒトは、虚構としての絶対的価値としての神を作り出し、それにか
ら
く
ら
れる（支配される）ことによって「考える」ことができるようになったのである。

なぜそうなったのかと言えば、生命が宿命として帯びてしまっている本能的価値（ここでは闘争本能的価値）が故に、生命である以上ヒトも戦わねばならなかったからである。

ただ日本は島国という特殊性から、武士以外、外敵と戦う必要がなかった。それは鎖国などをやれたことからも明らかだろう。そこに士（武士）と農工商（「村」人）との身分社会（歴史的古層の違い）が生まれ、そこにおいて西洋的意味における宗教は、戦う人の武士道だけになった。

その証に日本の歴史に宗教戦争はまったくなく、せいぜい口喧嘩である。それを憲法に「信教の自由」だなどと明記するのは（宗教などないのに）、まさに

「考える」能力ゼロの猿マネ暗記鸚鵡と言うしかない。口喧嘩だけしかせぬ国民によって国家など成り立つわけがない。

ニーチェ

言うまでもないが、ヨーロッパ文明（思想）には「肉体」がなく、そのある意味空虚なゴシック建築を支えているのがキリスト教だ、と喝破したのがニーチェである。しかし彼の思想はまったく理解されなかった。むろんヨーロッパ・キリスト教文明を歴史的古層において生きてきた彼ら自身が、崩壊してしまうからである。

ニーチェが見舞われた現実とは、日本においては単に武士、禅者が進化の逆行によって、無（本能的価値）に至っただけのことに過ぎない。

では何が異なるのかと言えば、日本は戦争社会ではなく、またインド哲学という「0（ゼロ）」の哲学によって「解脱」という、意識が作り出す欲望の世界を無

(「0」) 化する仏教が伝わっていたことにある。つまり日本人は「我考える」とは無縁な肉体の無の世界を生きていたから、その本能的価値において、肉体のもつ群れ本能的価値を維持して生きていたのである。

それに対してヨーロッパ人は、意識から肉体を捨てたキリスト教に支えられた「我考える」に思想進化 (変異) していたから、彼らの群れ本能的価値は肉体と共に捨てられ、そこを「我考える」キリスト教集団価値――これが彼らを集団ヒステリーに陥らせる原因である――で埋められることになったのである。

この「我考える」キリスト教集団価値とは、今日、アメリカにおいて最も顕著に見られるもので、それはそれぞれ個人はばらばらであるが、いざ戦争となると国家として一致団結するような性質のものである。

ニーチェにおいて起こったことは、進化の逆行によって価値が脱落したところまでは無と同じだが、その価値にはキリスト教集団価値も含まれていたから、彼に「我考える」は残されていても、彼には価値の脱落によって本来行き着くべき群れ本能的価値がなく、そこが空っぽになってしまっているから、彼の「我考える」はそこを通り抜け、ヒトには本来あり得ぬサルの本能にまで進化を逆行させてしまうことになったのである。これがニヒリズムである。

だから彼の思考はある意味、サル（本能）から出発するしかなかったのである。つまりサルからヒトに進化する過程において、人類が神話を生み出したように、彼は『ツァラトゥストラ』という神話から始めるしかなかったのである。それがそれを解読不能にさせた理由である。

そうであれば、サルの本能という肉体にまで落ちた彼にしてみれば、肉体の意味がよく分かった。つまりヒトは「肉体のもつ大いなる理性」「肉体のなかに住む『本来のおのれ』」という本能に支配された存在（からくられた人形）だと（この「からくられた人形」とは『葉隠』の思想で、両者の関係は拙著『人類の没落』で詳述）。

このニーチェの思想は日本の武士が知っていた「肉体のなかに住む『無』」（本能的価値）と極めて近い。たとえば三島は彼の著書『葉隠入門』でニヒリズムとして引用している「道すがら考ふれば、何とよくからくった人形ではなきや。糸をつけてもなきに、歩いたり、飛んだり、はねたり、言語迄も云ふは上手の細工なり」とは、彼らが「肉体という無の場所」に至ったということである（この「無の場所」は、西田の思想概念を借用したもので、「無とニヒリズムとの場所」という意味である）。

従ってニーチェは「肉体のなかに住む『本来のおのれ』」（本能）から「我考える」で、自己の意識の文明を見上げたとき、ヨーロッパ文明はキリスト教を自己偽善（彼はそうは言わなかったが）を通して利用し、戦争と欲望とを拡大するインチキ宗教だと言ったのである。そしてそれが第一次世界大戦で当たってしまったから、彼らに彼の思想はさっぱり分からなかったにせよ、驚愕したのである。そしてそれはさらに第二次世界大戦、欲望の資本主義、地球規模の自然破壊へと繋がっていくのである。

『葉隠』のニヒリズム

正直、私には今一つニヒリズムに分からぬものがあった。それを教えてくれたのが、三島の『葉隠入門』であった。

もっともその著書内で、彼自身もほとんどその意味が分かっていなかったし、また私も同様に同書を何度も読みながらも分からないでいた。つまり日本にニヒリズムなどないと。だからなぜ自分がニヒリズムに陥ったのか疑問に思っていた。そしてこれがその答である。

たしかにニーチェの言うキリスト教・ニヒリズムは日本にはない。

それは西洋文明がその本質において「有の数字」から成る哲学と宗教とに基づくもので、それが自己偽善によって戦争狂、欲望狂となっていったのに対し、日本はインド哲学による「0（ゼロ）の数字」から成る解脱の宗教を生きてきたから、もともと戦争狂、欲望狂（これは今日崩れつつあるが）には成り得なかった。

が、ニヒリズムには別の意味もあったのである。

すでにヒトは「私は考える」ことはできぬと書いたが、ある種の「からくり」によって、それができるのである。それが神である。

西洋ではそれによって「我考える」ことができ、日本においては「無私」（本能的価値）で「考える」ことができたが、その「考える」にも神が必要であった。それが武士にとっての主君、天皇であった。つまり洋の東西を問わず、「考える」ためには神によって「私」の存在が証明されることによって、それを根拠に「考える」ことができたのである。

三島は『葉隠入門』ですでに挙げたニヒリズムに加えて今一つ「幻（げん）はマボロシと訓（よ）むなり。天竺（てんじく）にては術師の事を幻出師（げんしゅつし）と云う。世界は皆からくり人形なり」

を引用している。

これは山本常朝、ニーチェ、三島、そして私にも一様に何ものかに「からくられている」という感覚のあったことを意味している。そしてこの四名に共通しているのが、自己が「考える」ための「有る」の根拠である神を失っていることである。

山本は主君（神）の死にあって、主君の殉死禁止命令によって追腹を切れず、出家することによって神なしに生き長らえた者であり、ニーチェは神の死のなかを生きた者であり、三島は天皇の人間宣言によって神を失ってしまった者であり、そして私はどこにも神を見出すことのできなかった者であることで共通している。

つまり「考える」人間は、信仰をもち神に「からくられて」生きているから、「からくられている」という感覚を持たぬが、神を失った人間は、どうしても自分が何ものか（無）に「からくられている」という感覚、つまり「主体は虚構（嘘）である」という感覚に襲われるのである。

そこでニーチェは「永遠回帰」、三島は「国家」、そして私は「絶対無」（後述）を生み出すことになったのである。

むろん「考えない」「村」人に神は無縁である。

戦後「熊・八」民主主義

退化し「考える」能力を失った人間とは、どうにも仕様のないものである。

すでに述べたように、生命はその食うか食われるかの世界において、情報を下降させせそれを本能においてその無のなかで「考え」、それに基づいて生を上昇させ進化してきた。

それはヒトも生命であるから、その食うか食われるかの中で「考え」て生きるしかないことになる。そういうことを、野性を失いペット化してしまった戦後の日本人にはまったく分からない。では、なぜペット化したのかと言えば、その主因は江戸時代の「村」人の平和（井の中の蛙）観による歴史的古層によるものである。

それを江戸落語風に言えば「熊さん」と「八つぁん」との次のような会話になる。


「おい、八、お殿様が自由と民主主義を下さったぞ」

「ヘェー、そいつは美味（うめえ）もんですか？」

「バカ、食いもんじゃねェ、お前（めえ）はまったく意地のきたねェ野郎だ」

「じゃぁ、なんで、その自由とトンチキリンてやつは？」

「つまりだな、お殿様が、お前（めえ）たちも一人前の主人になれ、だからお前（めえ）たちにも主権をやろうってェ仰（おっ）しゃってるんだ」

「わしゃ手裏剣なんて、そんな剣呑（けんのん）なものはいらねェ」

「バカ、手裏剣じゃねェ、主権だ」

「主権？　そりゃ一体なんで？」

「つまり亭主になれってェことだ」

「うんにゃ、あっしゃレッキとした亭主ですが……」

「そういうことじゃねェ。つまりだナ、お前(めえ)も街に出て一人前の意見を言えってっていうことだ」

「メシなら一人前以上食うが、意見なんぞ、腹の足しにならねェもんは……」

「お前(めえ)、不平、不満はねェのか？」

「そりゃありますよ。たとえば女房(かかあ)のことで」

「そうだ、それを街に出て言えっていうんだ」

「女房(かかあ)の悪口をですか？」

「そうだ、それだ」

「それが自由とトンチキリンってもんなんですか？」

「そうだ、そのトンチキリンだ。いや、そうじゃねェ、民主主義だ」

「だけど、女房(かかあ)の悪口を言ってなんか変わりやすかねェ」

「変わる、それが主人てェもんだ。……お前、口が下手だから、いっそ瓦版にしちゃぁどうだ？」

「瓦版？」

「そうだ、女房の悪口を瓦版にすりゃぁ、銭にもなるってもんだ」

「へェー、そのトンチキリンてェもんは、そんなにありがてェもんなんですか。あっしも、そのトンチキリン信者になりまさぁ」


日本人の民主主義理解など、所詮この程度である。

たとえば古森義久氏が『産経新聞』（平成七年四月三〇日）で、大江健三郎氏がアメリカで次のように語ったと述べている。これはその一部である。


米国の民主主義を愛する人たちが作った憲法なのだからあくまで擁護すべきだ。軍隊（自衛隊）についても、前文にある「平和を愛する諸国民の公正に信頼して」とあるように、中国や朝鮮半島の人民たちと協力して、自衛隊の全廃を目指さねばならない。（これは後述するが、重要なので記憶しておいてもらいたい）

これはまさに、お殿様と「熊・八」との関係そのものに外ならない。つまり戦後日本人は、まさに「熊・八」の歴史的古層を生きているのである。

私は民主主義が、いい悪いと言っているのではない。民主主義を支えている「我考える」キリスト教集団価値を歴史的古層にもたぬ日本人に、そんなものが理解できるわけがない、と言っているのである。つまり戦後民主主義とは、お殿様が下されたものだという以外、なんの根拠もないのである。これはペットや幼稚園児がただ主人の言うことに従うだけで、一切自分で「考え」て判断する根拠を持たぬのと同じである。せいぜい先のお殿様より、良いというだけである。

それに対して西洋においては、神に保証された「我考える、故に我あり」によって、彼ら各個人はよくも悪くも市民という「主人」であるから、その主人が主権者となって民主主義を行うことには根拠がある。

だが、戦後日本人はいまだ「逃げ走る」「客分」の歴史的古層を生きているから——だから自衛隊の全廃だなどと言うのであり——その「考える」ことのできぬ「熊・八」だけからなる市民「0（ゼロ）」の日本で、民主主義などできるわけがないのである。

そうであれば、戦後マッカーサーが「神」を理解しない日本人を「十二歳の少年」と評したのも、謂れなきことではない。

が、私は迂闊にもそれを信じてしまった、つまり十二歳の少年にも知能があるのだから、「考える」能力はあるだろうと。が、「考える」能力ゼロだったのである。それはお笑い芸人と、政治家、学者、知識人、ジャーナリスト等との頭の構造は、同じだということである。

日本で「考える」能力を発達させたのは唯一、武士（禅者）だけであった。その事実は歴史を読める人間なら分かるはずである。

そうなった理由は日本は外国からの侵略もなく、ただその文化、文明をマネしていれば、それで価値の拡大が図れたから「考える」必要がなかったのである。それは結果的に、日本人をその歴史的古層において、「考える＝猿マネ」することだと勘違いさせることになった。

しかも戦後経済において、その猿マネで成功してしまったから、いよいよ「考える」ことをしなくなった。

では、それでなぜ成功したのかと言えば、数字に歴史的古層はなく、ただマネする能力さえあればよかったからである。

その結果として、西洋文明（思想）を上っ面で猿マネし、その本質を考えてみようともせぬ、いわゆる政治家、学者、ジャーナリスト等の知識階層は暗記鸚鵡化に至るのである。それは西洋思想をキリスト教抜きで考えても分かるわけがない、ということが理解できず、無邪気にそれを上っ面で暗記しているのである。

それは国会を見ているとよく分かる。

それは自民党幕府（武士はいないが）と、権力を取る気もない外様野党との、半ば馴れ合い議会（討論）としか映らぬ現実である。

別に悪口で言うわけではないが、日本共産党などは、単に老舗の看板をぶら下げていれば商売になるという以外の理由を、私は見出すことができない。彼らの頭を、スターリンの「ス」の字も過ったことはないだろう。

日本人は議会（討論）というものを、その歴史的古層において知らぬから、所詮「熊・八」討論になってしまうのである。つまりそれは歴史的古層において、討論の本質である言語戦闘力を持たぬということである。民主国家における議会とは、プラトン以来の言語戦闘力によって討論し、その戦闘力によって白いものも黒に変えてしまうものだ、ということが日本人には理解できない。それはたとえば、ヒトラーがその言語戦闘力で白を黒に変えたという事実を理解する知能を持たない。
日本人は「皆々様」「お互い様」「相身互い」の歴史的古層を今も生きているのである。

その世界の常識、日本の非常識を生きているから、たとえば日韓関係の悪化というようなことが起こるのである。つまり韓国人は、白いものも黒に変えてしまおうという言語戦闘力で物を言っているのであって、日本人の道理など通用せぬのである。その「熊・八」政治家、ジャーナリストの間抜けさが、従軍慰安婦問題で白を黒く塗り潰されたのである。武士がいなくなると、そういうことになるのである。

それはそもそも、日本の歴史的古層に、差別、プライバシーなどというものがなかったことと関係している。それは家の建て付けが、障子と襖（ふすま）とから成っていることを考えれば、プライバシーなど有り様がない。つまりそれがないから

「皆々様」等の仲間社会を成り立たせ、そこにおいて差別など――武士は別にしても――なかったのである。それはたとえば『福翁自伝』で彼の母親が、頭のおかしい乞食女の虱(しらみ)を取ってやることを楽しみにし、その褒美に飯まで食わせてやるところにも見て取れる。

それは戦前の日本に朝鮮人差別などなかった(重箱の隅を突つけばあったかもしれぬが)。なぜなら歴史的古層において、そも差別そのものを知らなかったからである(私がキリスト教に引かれぬ理由の一つはそれである)。だから彼らの方から日本へやって来たのである(両班の苛斂誅求は韓国の歴史ドラマを見ているだけでも想像がつく)。

その事実を知っている者は知っているが、従軍慰安婦問題に見られるような頭の悪い連中によって、あたかもそれがあったかのように改竄され、信じ込まされ、書き替えられてしまったのである。

そしてその同じ頭の悪い連中が、差別語だなどと言って重箱の隅を突ついて喜んでいるのである。そも差別とは言葉の問題ではなく、心のそれだということさえ分からぬのである。

それを思うと李登輝が、戦後の日本人の質の悪さを嘆いていたのを思いだす。彼には『武士道解題』という著作がある。

三島由紀夫の謎

三島という作家は、ついに自分という存在が何ものか分からなかった人間である。つまり『仮面』を被(かぶ)っている、それを剝(は)がすとまた仮面が現れるという一生を送った人物である。

彼は文学好きであり、そして有名作家になったが、ついに自分の被っている仮面の正体が解けなかった。

それは彼の『葉隠』への傾倒が示している。つまり彼には、自分が何ものかに「からくられている」という感覚があった。

彼はすらすらと小説は書けたが、しかしその書いている自分が何ものであるか分からなかった。彼は様々な悪ふざけを通して、自分探しをやってみるが、ついにその謎は解けなかった。

彼の「肉体のなかに住む『本来のおのれ』」としての「無」があったのは確かである。しかし彼はそれを肉体的コンプレックスと誤読し（悪ふざけもあっただろうが）、ボディー・ビルに走った。しかし当然それでは仮面の謎は解けない。そして彼は半ば自然に「肉体のなかに住む『無』」に「からくられている」意識から『葉隠』・武士道へと至るのである。

彼の本質にあったのは、「『葉隠』のニヒリズム」で述べたように、彼は天皇という神を失ってしまったが故に、「私はある」の根拠を失い、何ものかに「からくられている」だけの「仮面」の存在になってしまったのである。つまり神を失ってしまった彼は、自己が「無」（本能）に「からくられた」虚構（嘘）の存在という無根拠に陥ってしまったのである。従って「肉体のなかに住む『無』」

を自覚した彼は、自然、主君を求めるように武士道に目覚めるのと同時に、自己の存在根拠を国家に求めざるを得ず――すでに神は死んでいるのだから――半ば必然的に「三島事件」に至ることになるのである。

この意味することを、すでに述べてきたことから説明すると次のようになる（なお、ここでは彼の檄文は引用しないが、私の言っていることが分からぬ読者は、彼のそれを読んでいただきたい）。

彼は意識（三次元身体）という、価値の世界をほぼ脱落し、無という四次元身体にまで解脱してしまった。四次元身体とは本能的価値であり、そこには闘争本能的価値、群れ本能的価値があり、そこから意識という三次元身体を見上げたとき、当然そこには群れ本能的価値としての「国家」、また闘争本能的価値としての「軍隊」の意識に目覚めるのは、生命として自然である。そしてヒトは価値の世界を生きているから、当然そこにおいて国家のために軍人として死ぬことは、人間としての誇りだ、という価値が彼に生まれた。と言うより、日本の武士にはそれがあったということである。

そのことを戦後の「無」も分からぬ、ただ洗脳されただけの「熊・八」頭に三島の内面を語ってみても意味ないことかもしれぬが。

私を三島に準(なぞら)えるのは不適切かもしれぬが、私も自分が何ものか分からぬ人間である。

たとえば私には二冊の箴言集がある。合計で八百の箴言である。取り敢えずその一つを挙げる。

ある未来人から聞いた話だが、ある遠い惑星では馬族が支配し、そこでは「競人」という賭事に馬族は夢中だったと言う。その男は百メートルを九秒台で走れたので、「危うく種人にされるところだったよ」と安堵の表情で語った。それに対し速く走れぬ人間は餌を与えられ、丸々と肥らされて「人刺」にして食われると言う。私はその話を聞いてから、人を食った話をしなくなった。

別にこの箴言がよく出来ているから取り上げたわけではない。ただ私の頭の中の、どこを探してもこういう思考をする「私」を見付け出すことができぬのである。

そのことは、私はこれらの箴言を一度たりとも、自分の頭で考えたことがない、つまり私の意志とはなんの関係もなく、いったい誰が書いているのかも私自身分からぬのである。

従って私も箴言集など出す積もりはなく、ただメモしておいたものがたまたま八百以上もあり、それを偶然読んだらその一部に思わず吹き出してしまった、というだけのことである。つまり記憶にまったくないのである。それで面白半分に出版したのである。

そのことが中年以降、ニーチェや『葉隠』を読む内、自分が「肉体のなかに住む『本来のおのれ』（無）」に「からくられた」存在であることに気づかされることになった。

それは別言すれば、そも「私」などというものは「存在しない」、「存在した」としてもそれは「仮面」という虚構（嘘）に過ぎぬ、ということである。

近時、私は、「無私」の「仮面」に「からくられて」書かされているように思われてならない。その意味では私も「からくり人形」であるに過ぎぬ、と思うようになった。

それをヨーロッパ人でニーチェ以外に知っていたのが、ランボーである。

彼は手紙に「私は一個の他者であります」と記している。それは「私」とは単に、他者によって「からくられている」虚構（嘘）の存在に過ぎぬ、ということである。

このことはデカルトのところで記したように、「我」は神の保証があって初めて存在し得るものであって、その存在証明がなければ「我」は空中分解してしまう存在だ、ということである。

それは質こそ異なれ、日本において「考える」ことができたのは、「無」に基づく武士、禅者の「無私」による「考える」だけだ、ということである。それが私が三島同様、武士道、禅に引かれ、やがて国家意識に目覚めていった理由である。

武士においても、その「無私」は西洋人同様、神の保証がなければ成り立たぬ性質のものである（禅における「無私」は仏によって支えられている）。それは西洋においてはキリスト教という神であるが、武士においてはそれが主君、天皇だということである。

たとえば『葉隠』の述者・山本は主君の死に追腹（殉死）しようとしたが、主君の殉死禁止令によって生き長らえた人物である。なぜ追腹しようとしたのか？それは彼にとって主君が死んだ以上、主君という神に支えられて生きてきた彼の存在意義は一切失われ、死以外の価値しか残されていなかったのである。そしてそれさえも主君という神に封じられ、生き長らえた者である。これはキリスト教徒が、神のため殉教するのと同性質のものである。

それは明治天皇の死に殉死した乃木希典も同じである。そうであれば三島の死は、武士として極めて自然なことである。そういうことが、戦後の「熊・八」日本人には理解できない。

またそのことは、たとえば三戸学への無理解にも現れている。つまりどうして徳川家という身内から尊皇思想が生まれたのか、という謎（私には謎ではないが）である。

それは徳川慶喜という尊皇思想をもった将軍が立てば、徳川家が自滅し、天皇の時代になるのは自然だということである。その謎を解説できた歴史家を私は知らない。

それは一言でいえば、歴代の将軍のような人物では神たり得ない、と身内だからこそ言えた思想だ、ということである。つまり武士には絶対神の下に隷属したい——自己の存在証明をしたい——という意志が、無意識にもあった、ということである。だから幕末から明治維新にかけて、多くの武士が天皇教に走り、それを呑めぬ一部の者がキリスト教徒になったのである。その意味では、武士道とキリスト教とは似ているのである。だから二神を持つことを余儀なくされた内村鑑三は、そのどちらか一つの選択を迫られ不敬事件を起こすのである。

それを考えれば、戦後の「熊・八」日本人が武士道もキリスト教も理解できぬのは、当然といえば当然かもしれない。

これは余談めくかもしれぬが、日本を滅ぼしたのは薩長だと私は思っている。慶喜、河合継之助の「幕府観」がどのようなものであったにしろ（むろん私のそれとは違うという意味で言っているのだが）、もし尊皇思想を旗印とするなら、天皇教・明治幕府にすべきだったと考える。つまり天皇という「うん、うん」神様を中心に諸藩から優秀な武士を集め、彼らの幕府によって中央集権国家を作るべきだったと。そこにはいくら優秀でも、「熊・八」猿マネ暗記鸚鵡は、せいぜい官僚止まりで蚊帳の外に置くべきだ、ということである。そうした政治体制でなくては日本は生き残れなかった。

薩長のどうしようもなさは、単に権力を握ったというばかりでなく、西洋を猿マネしたことである。つまり日本と西洋とでは、その歴史的古層がまるで異なることが分からなかったのである。

そしてその後、三島が評価している二・二六事件の青年将校が同様に分かっていなかったのが、天皇親政を掲げてクーデターを起こしたことである。それは所詮、彼らも「熊・八」だった、ということである。彼らに分かっていなかったのは、天皇親政の意味で、それは天皇に独裁者になれと言ったも同然だということである。それまで「うん、うん」神様でいた昭和天皇は、その事実を突き付けられ仕方なく独裁者に成らざるを得なかった。そして青年将校に死刑を命じたのである。

昭和天皇は、史上もっとも不幸な天皇の一人に数えられるだろう。なぜなら「熊・八」政治家・軍人の起こした大東亜戦争の尻拭いをさせられたのだから。その意味で彼は嫌々ながら二度も独裁者の役を演じなければならなかった。

そしてそこから戦後という「熊・八」民主主義が始まるのである。

三島にとってこの「熊・八」民主主義は我慢のならぬものだっただろう。しかも武士である彼にとって天皇の人間宣言は致命的であった。結局、彼は「私は戦後を鼻をつまんで生きた」のである。

それは逆に言えば、マッカーサーは神の意味をよく知っていたから人間宣言をさせたのだが、「熊・八」日本人にはまったくその意味も分からなければ、理解する能力もなかった。だから彼は「十二歳の少年だ」と言ったのである。

そうであれば、三島にとって「三島事件」は宿命とも言える。彼はあるところで「このまま行ったら『日本』はなくなってしまふのではないかという感を日ましに深くする」と書いているが、彼はまだ日本にかすかな望みを持っていたから、あのような事件を起こしたのだろう。

武士である彼には、戦後の日本人が聾であり、『英霊の聲』も聞こえなければ、また市ヶ谷の自衛隊のバルコニーから大声で怒鳴ったところで、なにも聞こえぬ位のことは分かっていたはずである。しかし彼には、日本人として日本文明である歴史、伝統、文化が滅んでいくのが耐えられなかったから、命を賭けても日本を救いたいという、「已むに已まれぬ大和魂」があのよう事件を起こさせたのである。しかし戦後、ペット化した日本人に、歴史、伝統、文化はなんの意味もなかった。彼らの頭にあったのは、ただ餌（美食）の問題だけだった。つまり「考えない」人間には神は不要だ、ということである。

そうした彼の事件から私の得た教訓は、所詮、死んだ国家はどう足掻いても蘇らぬ、ということである。月並みな言い方をすれば、「御冥福を祈る」しかないのである。

西田幾多郎

ある朝、目が覚めると「絶対矛盾的自己同一」という言葉が頭の中にあり、そこから一筋の光が射していた。

別に西田の哲学が分かったというわけではない。私は基本的に、その思想家の思想を理解するためにその著作を読むことはしない。薬を飲むようにである。つまり私を悩ませている問題を解くためにである。

私は少年の頃から無自覚ではあったが、「無」を知ってしまっていたから、私のなかに主観・客観の問題はなかった。従って彼の純粋経験も、そんなものはないと思っていた。しかしなぜか分からぬが、西田の存在は気になっていた。
絶対矛盾的自己同一の問題も、西洋哲学（有）と日本の無との問題だと承知していた。しかも私は西洋文明、および戦後日本を殺してしまっていたから、私にとって絶対矛盾的自己同一を、そうした視点から捉えることはなかった。私にとって問題だったのは、自分のなかにある無とニヒリズムとの絶対矛盾的なものを、どう自己同一化するかだった。

彼のその思想言語が私の光明となったのは、突然、無もニヒリズムも殺し、彼の言う「永遠の死」に達し、そこにおいて「絶対無」に至ればいい、ということであった。

絶対無とは、私にとって神であると同時にある意味、出家という内面の行為でもあった。

これは「考える」人間なら誰でも分かることだが、それには神が必要であり、そこに隷属することが必要となる。当然、西田も宗教に深い関心を持っていた。

それは彼が西洋思想の本質に触れていた、ということである。つまり神なくしては、西洋哲学も日本哲学も成り立たぬことを。

これは逆説的に言えば、戦後の日本人に信仰心がないのは、「考える」能力のないことの証である。ペットには餌さえあればいいのである。


私にどうして「絶対無」が神になり得たのかはよく分からない。ただ言えることは、彼の言う「永遠の死」の意味である。これは普通、人が「生から死を見る」のとは逆に、「死から生を見る」ということ、それが絶対無である。

これは『葉隠』の「武士道といふは、死ぬ事と見付けたり」と同じ意味である。それに神が「人は自分で作り出し、それに隷属する」性質のものであるにしても、「考える」人はそうせねばならぬ、つまり「私がある」ためには自己偽善によって神を作り出すしかないのである。これはキリスト教を否定したニーチェでさえ、自らの神「永遠回帰」を作り出さねばならなかったことが示している。

つまり私にとって、無とニヒリズムとは絶対矛盾的なものであったのを、両者を殺すことによって半ば弁証法的に「絶対無」という神を生み出すことになったのである。

しかしむろん私はそれが自己偽善によるからくりだ、ということを知っているから、絶対無は出家という行為によらねばならぬことになったのである。

ちなみに私は「絶対無」という神のために、なぜ出家しなければならぬのかしばらく分からなかった。そしてようやく気づいたのは、それが内面の救い（楽になる）の口実になるからだと分かった。

それは仏教という宗教が、人生の苦から逃れるために出家する（救いになる）宗教であるのに対し、キリスト教が、イエスの死に見られるように、死と生と（復活）の口実の宗教だということである。それは西洋が戦争社会であれば自然なことである。しかしそれはキリスト教がその素因として戦争狂と欲望狂のそれを孕んでいる、ということでもある。

それに対し仏教は、あくまで救いの宗教であったから、近代科学のもたらした救いによって衰退していくことになったのである。

第四章　人はなぜ自殺するのか

こんなことを書く人間が、世界に一人くらい居てもいいのではないか、と思ってこれを書いている。あるいは、これが私の本音だったのかもしれない。今はそう思っている。

私は今でもどうしても「自分は十四歳で死んでいたら幸福だった」という思いを捨て切れない。そして二十歳のとき自分は決して自殺をしない、などという誓いを立てなければよかったと今でも思う。その誓いがあったが故に、私は頓馬にも地獄の世界で長生きをしてしまったのだから（私自身は五十までには死ぬと思っていたが）。

私は別に思想家に成りたいわけではなかった。それはニーチェも同じだろう。

なにもわざわざそんな貧乏籤を引かなくてもよかったのだから。では、なぜそんな籤を引いたのか？　それはニヒリズムと関係がある。

私はこれまで日本にニヒリズムはないと書いてきた。たしかにキリスト教・ニヒリズムはない。

だが、ニヒリズムとは必ずしもそうしたものではないのでは、と今は思っている。

私は前作『人類の没落』で、神話の初期の「有る」について論じた。

それは、それまで情報の下降・上昇という無を生きてきた群れ本能に基づく生命（サル）が、言語（価値）化によって、言語情報の下降と言語情報の上昇との交錯するところに、「意識（言語）の流れ」である虚構（嘘）としての、群れの「有る」の意識を生み出した。これはサルから進化したヒトが、肉体上の変異によって、言語（価値）という虚構（嘘）を生み出すメカニズムを作り出すことで、より進化を早めよう（生き延びよう）とした結果である。むろんそれは進化の最初期のものであるから、洋の東西を問わない。

この「有る」は当時の人類には、なにやら分からぬにしても、それがどうやら「私らしきものが有る」という感覚のものであったはずである。しかもそれは進化による肉体上の変異――本能が本能的価値に変わった――によって生み出されたものであるから、それはやがて現代に至るにつれて「私はある」という価値の感覚に変わっていった（この「私」は東西では異なる進化をする。ただし日本「村」人は問題外である）。

ところが、この「私がある」ということがどうしても信じられぬ者が現れてくる。それはニヒリズムに陥った特殊な人間である。だが、どうして信じられぬのか？　それは理屈としても分からぬから――私は理屈としてある程度分かっているからこれを書いているのだが、そんなことが分かっても何の役にも立たぬ種類分からない。

のものであり――それによって自分がどうして苦しみ、こんな行動を取るのかも

どうして信じられぬのかは、ヒトにまで肉体的進化（変異）し、価値（言語）の世界を生きる存在になったにも拘わらず、それが進化の逆行によって、サルの本能の虚無にまで落ちてしまったことによって、――ヒトとして「考える」（有る）ことはできても、同時にサルの本能である虚無にまで落ちることによって――内部分裂を生じさせる存在になってしまったから、どうしても「有る」ことが信じられない。つまりヒトとして成り立ち得ぬ状態のニヒリズム（虚無）という激痛である。と同時にヒトが群れ本能的価値を生きる存在であれば、そもニヒリズムに陥った人間はヒトとしての「有る」が成り立たぬ以上、人々（世間）という群れ集団の価値のなかでも存在し得ない。

これはニヒリズムに陥った人間に限らず、一般的に世間という群れの価値のなかで生きられなくなった人間の陥る孤独地獄であり、それが自殺の根本原因であ

る。

私のニヒリズムに陥った例で言えば、理屈としては紙幣にも、金塊にも、またそれなりの思想家の書物にも価値のあることは分かっていても、それらがどうしても紙切れ、金属、ペテン師の能書としか思えぬのである。つまり世間の価値を共有できぬから、孤独地獄に陥ってしまうのである。

そのことは、ヒトとは言語という価値によって洗脳された「私」、および「私たち」（世間）から成る現実という虚構（嘘）を生きていることを意味する。繰り返せば、ヒトは言語によって洗脳された価値という虚構（嘘）の世界を信じて生きる存在だ、ということである。

しかるにサルにまで進化を逆行させ、ニヒリズムに陥った人間には、その価値（言語）から成る人々の虚構（嘘）の世界がどうしても信じられぬのである。進化によってヒトにまで肉体変異したにも拘わらずである。これがニヒリズムの激痛である。

話をニヒリズムに陥った人間の自殺から述べ、その後、日本人一般のそれについて言及する。

まずニヒリズムに陥ったニーチェ、三島、太宰治である（後にニーチェがなぜ自殺しなかったのか、ヨーロッパの精神風土についても触れる）。

西洋人は意識――デカルトの、神に保証され、しかも肉体のない「我考える、故に我あり」――の世界を生きているから、ニーチェの言うように彼らの「主体」（我）は文字通りの虚構（嘘）であり、そうした状況下にあって、ニーチェは、その主体のもつ価値を進化の逆行によって、サルの本能にまで脱落させてしまったのである。つまり彼はヒトにまで進化（変異）した「我」を生きながら、同時にサルの本能を生きねばならぬという、内部分裂によるニヒリズムの激痛に陥ってしまったのである。それが彼に、サルからヒトに進化する過程に生み出される神話『ツァラトゥストラ』を書かせる動機となったのである（これについては『人類の没落』を参照）。

その書で彼はニヒリズムの本質を「肉体のもつ大いなる理性」「肉体のなかに住む『本来のおのれ』」へと価値（意識）を脱落させることだと、つまりサルの肉体にまで進化を逆行させることだと（彼は直にそうは言っていないが）説明している。

そうであれば、彼は激しい苦痛に置かれ、それは身体にも及んだから、彼の脳裏に自殺の文字が浮かばぬはずがない。しかし意識においてキリスト教を否定したとはいえ、彼の歴史的古層――これは無意識の領域のものである――から、それを消し去ることはできない。

それが彼を生き延ばす理由の一つになったのだろうが、今一つ、彼は学者だったから、彼自身の肉体のなかに住むニヒリズム（本来のおのれ）と意識（我）との関係を明らかにしたい、という強い欲求があったと思われる。しかしニヒリズムによる激しい自己分裂の苦痛は、ついに彼に「我」を失わせる狂気に陥らせることになった。

問題は三島と太宰とである。

若い頃、私は二人をまったく対照的な存在だと感じていたし、また太宰に関してはその不行跡から、生涯二度と読むことはあるまいと思っていた。が、最近、私も『人間失格』の部類に入るのではないかと思って、彼のそれを読んで私にも共通するところがあることに気づいた。そしてさらに三島と太宰とはまったく異質な存在であると思っていたのが、その根の部分では実に似ていることも分かった。

まず三島だが、ニーチェが「我」とは虚構（嘘）であり、「本来のおのれ」は肉体のなかにあると気づいたように、三島も（彼は小説家だったから多分に直感的であったが）それに気づき、ボディー・ビルに走ったのだが、そんなことで問題が解決しないのは言うまでもない。

彼のニヒリズムは神秘体験（神とは関係ない）によるものだろうが、彼も主体が虚構（嘘）であり「私」などというものが存在しないことを、直感として知っていたから、彼が「私」を「告白」しようとしても、それは『仮面の告白』になってしまうのである。そして彼のニヒリズムを唯一救っていたのが、神・天皇であったのが、人間宣言によってそれも絶たれてしまった。

彼が武士道に走ったのは、かっての武士が天皇に神を見ていたのと同様だから、神を失った彼は『葉隠』に武士のニヒリズムを認めたのである。

彼はニヒリズムにからくられていたから、ほとんど意味不明な小説がすらすらと書け、またそれがニヒリズムの孤独地獄からの解放だったから、あれほど膨大な作品を残し得たのである。であれば、彼が世間の価値観と折り合えなかったのは当然である。せいぜい世間と悪ふざけをしてごまかすしかなかった。

そんな三島にとって、唯一「仮面」の「私」が折り合えたのが、自己偽善によって、武士の大義をもって死ぬことであった。むろん自己偽善であるから、自己の生み出した嘘(フィクション)に自らが騙されているが故に、そのからくりの意識は彼にはなかった。

つまりそれは主体は虚構だから、現実も小説も共にフィクションだ、ということである。小説家とは、自らが小説(フィクション)の主人公に成り切れるからそれが書けるのである。

普通の小説家は「私」があると思い、現実を生きていると信じているから、執筆を止めても、実は現実という虚構(フィクション)(嘘)を生きているのだ、という自覚がない。ところが三島にとって「私」とは「仮面」という虚構(フィクション)だったから、無意識にも自己偽善によって、現実というフィクション(虚構)を自ら書き、そこにおいて英雄的に死ぬという創作物(フィクション)を作り出すことに、なんの抵抗感もなかった。

それに対して、世間において「私」という現実を生きていると思っている大衆は、その現実なるものもまたフィクションだ、などと分かるわけもないから、彼の作った「楯の会」を軍隊ごっことしか見れず、ましてやそれが彼の死のための軍隊だなど分かるはずもない（むろんそれは、自己偽善によるものだから彼にもその自覚はない）。

それに三島事件が、自衛隊におけるクーデターでもなんでもないことは、そこに計画性の一つもないことからも明らかだろう。もし彼が憲法改正を本気で考えたのなら、――むろん彼が本気だったのは、死を覚悟していることからも嘘偽りはないが――彼はすでに自衛隊に体験入隊しているのだから、そこで、あるいは論文でそれを訴えればいいのであって、今更、市ヶ谷の自衛隊のバルコニーからそんなことを怒鳴ったところで、どうにもならぬのは当然のことである。ただ彼は自己の作り上げた創作物（フィクション）のなかで、大儀をもって武士らしく死ぬことにしか、彼のニヒリズムのもたらす孤独地獄を終わらせる道がなかったのである。

ここで一言述べておく、戦後の日本人には馬の耳に念仏だろうが。なぜなら彼らはその歴史的古層において、「逃げ走る」「客分」だからである。

これは再三述べてきたことだが、自己偽善という「からくり」についてである。しかしこれが分からぬ限り「私は考える」も、民主主義も分からない。

それは「人は自分で神を作り出し、それに隷属する」のはなぜか、ということである。

そも生命とは単独者としては有り得ぬ存在であり（「私」が成り立たぬという意味であり）、しかも虚構（嘘）上において闘争本能的価値に基づく戦争社会を生きねばならなかったキリスト教徒、武士は、どうしても「私で考え」ねばならなかった。しかしヒトは同時に群れ本能的価値を生きねばならなかったから、単独者として「考える」ことはできない。そこで虚構上を生きるヒトは、自己偽善というからくりによって「自分で神を作り出し、それに隷属する」ことによって

「私は考える」ことを可能にしたのである。

そのことはデカルトが、さんざん苦労した挙げ句、あのインチキ臭い「神の存在証明」によって、なぜ「我考える、故に我あり」に至ったのかの意味が、日本人にはまったく分からぬことである。

なぜなら、神という絶対的価値の下にない限り、虚構（嘘）上を生きるヒトは付和雷同的「考え」しかできぬからである。そのいい例が、それを持たなかった戦前の日本人が天皇制国家から、戦後、一斉に民主国家に乗り換えたことである。絶対的価値の下での「私は考える」がないから、そうなったのであり、そのことはアメリカが去ったら、今度は中国の妾になるだろうということである。

つまりヒトは「私は考える」の視点を持ち、その「私」を貫き通すためには、時にはその絶対的価値の下に戦争をしなければならぬということである（それは福沢の士風が理解できれば分かることである）。あらゆる国家が軍隊を持つのはそのためである。その意味では戦後民主主義とは妾のそれでしかない。

「私」を持つキリスト教徒、武士とはそうした存在である。明治維新、多くの武士が天皇教、また少なからぬ武士がキリスト教に走ったのはそのためである。三島が天皇という神に拘(こだわ)ったのは、武士として「考え」生きるための根拠だったのである。しかるに戦後民主主義に浮かれる日本人はなんの根拠も持たぬ、単なる空っぽ頭の猿マネである。そも西洋が民主国家であるのはキリスト教に基づくものだ、ということさえ日本人は分かっていない。だから戦後の日本人の発言は、「私」のない付和雷同に陥ってしまうのである。

そしてそれは三島と同じくニヒリズムに陥りながら、太宰がまったく異なる人生を送ることになった理由もそこにある。

太宰も本質的にニヒリズムに陥った人間であるが、三島が天皇を神としたが故に、自己偽善を通して――従って太宰のような苦痛を味わうこともなく――武士の痩せ我慢の一生を貫き通せたのに対し、「村」人である太宰には、そうした自己偽善を通しての大儀は生じようがなく、「逃げ走る」「客分」としての本音である『心中天の網島』をそれとしたのである。それは彼の弱さであったかもしれぬが、とにかく道行人の同伴がないと死ねなかったのである。

彼のニヒリズムも（なぜ陥ったのか分からぬが）、当然、三島同様、世間との折り合いがつかず孤独地獄に陥った。彼は『人間失格』で次のように書いている。

自分は子供の頃から、自分の家族の者たちに対してさえ、彼等がどんなに苦しく、またどんな事を考えて生きているのか、まるでちっとも見当がつかず、ただ恐ろしく、その気まずさに堪える事が出来ず、既に道化の上手になっていました。つまり、自分は、いつのまにやら、一言も本当の事を言わない子になっていたのです。

自分にとって、「世の中」は、やはり底知れず、おそろしいところでした。

死にたい

これらの文章は、彼が子供の頃から世間という群れ本能的価値とは異なる価値観を生きていたことを示している。

そんな太宰であれば、三島の悪ふざけ同様に、それを「道化」でごまかすしかなかった。しかも彼には三島のような痩せ我慢がなかったから、彼には生活にも小説にも本音が出た。

戦後の日本人の能天気は、彼の本質を見ることもできず、彼を無頼派の一味だなどと一括りにしているところにも見て取れる。

しかし彼ら二人に共通しているのは、世間との間に共感性群れ本能的価値ともいえる場において、自己を没し去ることができなかったことである。つまり彼らは世間において、孤独地獄としての文字通りの「有る」の激痛のなかにあったのである。それを三島は悪ふざけで、太宰は道化でごまかしたのである。そして彼らは死への道を和らげるための、半ば本能的直感として——仲間（群れ本能的価値）への共感としての——三島は楯の会を作り、太宰は道行人（みちゆき）を必要としたのである。それは普通の人の幸福である「我を忘れる」ほどの熱中——たとえば賭博、ファン心理など——とは真逆の激痛の「有る」に外ならなかったのである。

ところで私だが、私は三島や太宰のように世間から注目されるような存在ではなかったから——私も一時は小説を書くことに熱中したが——悪ふざけも、道化もやる必要がなく、ただ隠遁者となるだけだった。だからと言って、「私の身の置き所のない」世間と和解できぬ状態は激痛であって、私の生涯——前半生はなんとかごまかせたが、後半生——は孤独地獄であった。

朝、目が覚めると私の脳裏に浮かぶのは「今日もまた地獄の一日が始まるのか」であったから、太宰同様「死にたい」と思うのは日常のことであった。しかもこの苦痛は拷問のようなものだから、慣れるということができない。ただ歯を食いしばって耐えれば、和らぐという知恵がついただけである。

そんな私であれば、世間と没交渉の変人とみられるのは自然だろうし、私もまた武士の痩せ我慢を通してきただけである。それを今になってこんなことを書く気になったのは太宰の『人間失格』を読んだせいだろう。

それに世間というところは、ニーチェ、三島、太宰を曲解するように誤読の名人の住むところだから、なにを言っても無駄だと思っていたし、特に係わりたくもなかった。ただ私が、誰も読まぬ思想書を飽きもせずに書いたのは、それが唯一生きるための大儀（理由）であり、また思想し、書いている間は苦痛が和らいだからでしかない。

それは三島・太宰文学にしろ、ニーチェの思想にしろ、彼らにとってそれは所詮ゴミであり、世間というところはそのゴミに熱中するところだ、というだけのことである。だから私の思想もゴミでいいのである。

ところで以上述べた人々は、孤独地獄のなかに置かれ群れ本能的価値を共有できなかったが故に「(私は)ある」の激痛を文字通り生きた人々であるが、そうでない普通の、借金苦、失恋苦等から自殺する人々、あるいは先日このコロナ禍において、二人の若い有名俳優が自殺したことに関してである。

前者の借金苦等は極めて単純である。

ヒトは価値の世界を生きているから、紙幣や金塊にそれがあるという価値から抜け出せない。それが貨幣経済(特に資本主義)の最大の欠点である。つまり資本主義における主人は貨幣であり、ヒトを生かすも殺すも主人次第だということである。すなわち資本主義とは、人と人との和で繋がっている社会ではなく、それが金だから、金の切れ目が縁の切れ目だということである。しかもヒトは価値の世界を生きているから、借金を負えば世間はまさに群れ本能的価値を失った、敵対的存在といってもよく、それが借金地獄という孤独地獄である。その苦痛から逃れるため自殺に走るのである。

これはまた失恋にしても同じで、ヒトが価値の世界を生きるまでに進化してしまったが故に、それが価値を失っただけだということを悟れずに苦しむのである。つまり恋愛相手が世界（群れ本能的価値）のすべてであり、それを失ったことが、あたかもすべての価値を失ってしまったかのような、孤独地獄の苦痛に陥ることによって自殺に走るのである。

それは、自分は恋愛をし失恋したのだから、また恋愛をすればいいじゃないか、という理性のまったく働かぬ世界である。

それは本能を生きる動物が、求愛して受け入れられなければ、外の異性のところに走るだけだという本能が、もはや価値を生きるヒトには失われている、ということである。

ところで私にとって問題となったのは、二人の若い有名俳優の自殺であった。彼らの内面など所詮、知るよしもないが、借金苦、失恋苦、病苦といったものでないのは確かなようである。

私はそれが、日本が自殺大国であることと無関係でないと考えた。むろんこれは私の勝手な推測だが、それは日本人が無邪気に西洋文明、特に資本主義を取り入れてきたことの付けが回ってきたのだと考える。

日本人には西洋文明が最悪なものだ、という認識がまったくない（そんな頭にニーチェの思想など分かるわけがない）。それは西洋を猿マネしていることからも明らかだろう。つまりそこが戦争狂、欲望狂のそれだということが、である。これについては、これまでさんざん述べてきたことなので多言はしないが、一言でいえば、デカルトの「我」およびキリスト教に繋がるものだ、ということである。

日本人は古事記の時代より、和（群れ本能的価値）の世界を生きてきた。それはたとえば、福沢の母親が、汚く臭い狂者（きちがい）のような乞食女の虱を取ってやり、取らせてくれた褒美に飯を食わせてやることを、楽しみにできるような世界だった、ということである。彼女がそんな和の世界を生きることができたのは、同時に彼女には、自分が何をしているのか「考える」能力がなかったから、それができたのである。

それに対して武士であった福沢は、「考える」ことができたから、母親の手助けに駆り出されるのが、嫌で嫌で堪らなかったのである。

それは程度の差こそあれ、戦後の武士の存在しない日本人も、福沢の母親のように「考える」ことのできぬ歴史的古層を生きている、ということである。つまり歴史的古層とは、意識の問題ではなく、日本人においては古事記の時代から積み重ねられてきた歴史的無意識の層だ、ということである。

戦後の日本の繁栄は、この歴史的古層において「考える」こともせず、和という集団主義（群れ本能的価値）のなかを生き、その中で懸命に働いた結果として、奇跡的ともいえる経済復興を成し遂げることができたのである。

しかしそれにも限界があった。つまり資本主義のなんであるかをまったく「考え」ずに働いてきたのが、ある日突然、その限界に突き当たったのである。それはまさに資本主義が、和に基づく経済思想とはまったく懸け離れた、金に基づく個人主義の（群れ本能的価値を否定した）それだ、ということである。そこにおいて労働者は人ではなく、延長する物質（モノ）だということである。

和の世界を生きてきた日本人は、資本主義を生み出した西洋文明の本質にある個人主義という思想を歴史的古層にまったく持たない。そうであれば、その本質が孤独地獄だということも分からない。

西洋の神は、日本の武士のもつ神のように人（天皇、主君）ではなかったから、人間的関係は一切ない。つまり絶対にＮＯ（自分で作り出した神だから）と言わぬ神だ、ということである。従ってそんな神の下にある以上、自己偽善によって自らを騙すと共に、他人を騙すことによって他人を神の下に奴隷的に働かすこともできる。カルヴァン主義の「予定説」などはその象徴的なものである。

そうであれば労働者は神の下に金を生み出すモノ（延長する物質）であり、金を稼げぬ者は首になり、他のモノに入れ替えればよいことになる。そこに人間的繋がりは生まれようがなく、ただ金によって繋がっているだけの社会である。

そうであれば、西洋人が家族を大事にする理由も分かろう。そこにおいてのみ人間的和の関係が成り立つのであり、一旦、社会に出ればそこは群れ本能的価値を欠いた孤独地獄が待っているからである。

ただし彼らはそうした歴史的古層しか持たぬから、それに対するある程度の慣れのあるのも事実であるが、その孤独地獄から逃れるために、教会には告解室があり、またアルコール・麻薬中毒者、さらに精神病患者の多発化を招くことになったのである。

フロイトがこの告解をヒントに、彼独自の精神病治療に思い至ったという話を、どこかで読んだ記憶がある。またヨーロッパ人が一ヶ月近くものバカンスを取るのも、孤独地獄のなかで生き抜くための知恵なのだろう。

つまり西洋資本主義文明とは、孤独地獄のなかで個人主義的欲望経済人として生きることの謂である。西洋人はそれはそれで構わぬのだろう。

しかし日本人はそんな経済思想とは無縁な、和という群れ本能的価値の歴史的古層を生きてきた。そこに西洋資本主義の流入の結果として、日本は自殺大国となり、引き籠もりの中年人口が一〇〇万人にも上り、精神病患者も多発するに至った。それは子供にも及び、いじめによる自殺・不登校の多発化である。要するに、戦後の日本人は西洋を猿マネする知能しかもたぬ愚物化（特に知識階層）することによって孤独地獄の付けが回ってきたのである。

そうであれば、和の歴史的古層を生きる日本人にとって、資本主義は多くの者にとって苦である。苦であるが、それの持つ欲望の味を知ってしまった人々は昔に戻ることはできない。またもはや戻る場所もない。

そうした現実から二人の俳優の自殺を推測すれば、それまであったと思っていた和（仲間）の世界が、ある日、突然崩れ、単に金で繋がっているだけのまったくの孤独地獄のなかに置かれていることの「有る」の激痛に襲われ、またそれへの免疫をまったく持たぬ彼らは、「死にたい」という発作的衝動に駆られ、自殺に走ったと私は考える。しかもその「死にたい」という激痛は経験した者にしか分からぬような性質のものである。つまりどうしていいのかも分からぬ内に自殺に走っていた、ということである。

こうした戦後を生み出したのは、日本人（特に知識階層）の猿マネ暗記鸚鵡化と無関係ではないと考える。まったく無考えに、その歴史的古層の異なることを思量することもせず、資本主義を取り入れたことである。つまり日本人として、資本主義をどう測るべきかという知恵の欠如である。

日本における資本主義の祖は渋沢栄一である。ただし彼はそれをそのままではなく日本人として、つまり「論語と算盤（そろばん）」として受け入れたのである。資本主義は経済思想だから、本来『論語』のような道徳の入る余地はない。しかし明治人にはまだ武士の血が流れていたから、彼らなりに考えることができたのである。

資本主義とは、西洋戦争社会に基づく個人主義のなかから起こったものであり、私利追求の経済思想である。だからこそ、そこから共産主義思想などが生まれたのである。

そもそも西洋には、人々が幸福に暮らせるような環境が地政学的にも、歴史的古層においてもない。彼らの世界においては、個人が利益等を追求するから、他者は排除されその間に角逐が生ずる。その行き着いた先が民主主義である。

しかし日本は「和」の社会であった。日本のように素直に『論語』を受け入れた国はそうあるまい。少なくとも私は知らない。

それは一言でいえば、人々が幸福になるのには損得勘定もなく、他人（ひと）を幸福にしてやることが自分のそれに繋がるという、ほとんど本能に近い感情である。福沢の母親などはまさにその典型である。

それに対して、戦後の猿マネ知識階層は、かつての幸福だった江戸時代のように、『論語』を教育の基礎に置くべきだという知恵もなく、ただアメリカを猿マネしたのである。それが知識人のやることだ、と思う愚物性は救いようがない。

戦後資本主義も始めはよかったが、やがて『論語』がなくなると他者を排除し、私利に走るという西洋型資本主義に変わっていった。

だが、そのような歴史的古層をもたぬ日本人に、そんな資本主義はうまくいくはずがない。

そもそも日本人は知識人からして、振り込め詐欺（洗脳）に引っ掛かる体質だという自覚がない。いまだにである。

私はこの若い俳優の自殺を、確信をもって言うわけではないが、西洋型資本主義を無考えに導入したことによって、日本人の心のなかに空いた闇のように思える。

第五章　森・ＪＯＣ前会長の女性蔑視発言の本質

これはある意味、前作『人類の没落』の「あとがき」の続きになる。そのとき、書こうか書くまいか迷ったが、やはり書かねばならぬという思いに達した。

その内容とは、森・JOC前会長の「女性が会議に入ると長くなる」という、いわゆる女性蔑視発言なる珍騒動である。こんなことは、日本女性は昔から井戸端会議をやってきたという歴史的古層を持っているのだから、当たり前のことであり、それが可能だったのは、日本がそれだけ平和だったからだ、というのが私の主張の骨子である。

そこで明らかにされたのが、まったくともいえる戦後日本人の「考える」能力のなさである。まさに空っぽ頭の猿マネ暗記鸚鵡である。

それはチェンバレンが言った、日本人の付和雷同性、集団行動癖、外国を模範としてマネする国民性であり、またカール・レーヴィットが『ヨーロッパのニヒリズム』で言った、日本人の思考法が二階ではプラトン、ハイデガーを論じ、階下では日本的に考え感じたりする、その両階を往き来する「梯子」はどこにあるのかと、ヨーロッパ人教師を疑問に思わせることであり、さらにマッカーサーが日本人を十二歳の少年と評したその心中（しんちゅう）である。

むろんそれらは、彼ら西洋人の日本人観として語ったものだから、彼らにも日本人の本質は分かってはおるまい。増してや、空っぽ頭の猿マネ暗記鸚鵡に、彼らがなぜ日本人をそのような目で見るかなど「考える」能力はない。

その空っぽ頭は、あたかも森氏を糾弾するのが当然であるかのように批判し、また森氏にも反論できるような能力はない。自分がなにを根拠にそのような発言をしたのかを。だから珍騒動になってしまったのである。

私が日本人を評してなぜ空っぽ頭というのかといえば、生命世界においてオス・メスは、「平等」（同権）というような性質の価値観の下にあるものではなく、進化の下にあってそれを推し進めるために、それぞれの役割を与えられただけに過ぎぬ、ということである。それを西洋人が男女平等のような価値観に達したのは彼らの勝手である。その理由はキリスト教を信じる彼らは、進化の理論に否定的だからである。それをそも「考える」能力もなく猿マネする現代日本人の無脳こそ、問題だと私は考える。つまり単なる西洋の暗記鸚鵡でしかないことに。

日本人は西洋人とは異なる歴史的古層を持っている。日本人はそこで考えればいいのだが、武士・禅者の存在しない戦後に「考える」能力を持つ者はいない。

日本は西洋のような戦争社会ではなかったから、物事をトップ・ダウンで決めるということはない。「和」の社会であるから男は会議（談合）により、女は井戸端会議好きという歴史的古層を持つことになった。従って、女性が会議に入ると長くなるのは当然のことで、それで日本人は幸福に暮らしてきたのだから、それはそれでいいのである。それに歴史的古層は、歴史意識の深部に染み込んでいる国民性、民族性のようなものであるから、そう簡単に改められるものではない。戦後日本人の愚民性は、外国（西洋）ではこうだから自国もそうしなければならぬ、という主体性のなさである。つまり自分が何人であるのかも分からぬ、ただ長いものに巻かれる猿マネ人種だということである。だから三島は檄文で「自由でも民主主義でもない。日本だ」と言ったのだが、「考える」能力を持たぬ大空(うつ)けの理解するところではなかった。

この森発言に対し野党（党名までは覚えられなかったが、日本共産党ではない。もっと大きな党である）の党首が、「国際社会の恥だ」と言ったのを聞いて、私はこの人の頭の中に入っているのは、正直、蟹味噌ではないかと思った。これが「日本社会の」と言うのならまだ分かる。日本は「恥の文化」だからである。そして恥とは世間へのそれである。ところが、そんなものが果たして国際にあるのか、そんなことも分からずに政治家になれるのが、戦後民主主義という奴である。

たとえばアメリカを国際の一員と考えるのなら、彼らは先住民族を絶滅危惧種に追いやり、黒人を奴隷として拉致し、無辜の民の頭上に原爆を投下し、それと同じようなことをやっている中国を恥もなく人権問題で非難するところが国際だと私は思っている。恥などというものが国際（世界）には無い、ということが分からぬ蟹味噌頭こそが問題なのである。

私は「女性が会議に入ると長くなる」程度の如きで、馬鹿騒ぎする戦後の日本人は完全に愚民化したと思っている。つまり一階は空っぽで、二階でプラトン、ハイデガー、（民主主義）を大合唱する暗記鸚鵡化してしまったことこそ大問題だと。

では、日本人がどうしてこのように愚民化したのかと言えば、それは日本が島国という地政学的条件、またそれによって生み出された歴史的古層が係わっていると考える。

日本「村」人（戦後の日本人）は、過去（特に江戸時代）において、士農工商という身分社会を生きてき、それは西洋戦争社会に比べて、領主（武士）に過酷に扱われることもなく――なぜなら「村」人だけが武士を養うという関係にあったから――またさらに「村」人が外敵に備え、戦うこともなかったから、彼らの歴史的古層には、国家およびそのために「考える」能力がまったく蓄積されることなく、ただ生き延びるために支配者・武士に「ゴマを擂る」能力だけが発達したのである。それが付和雷同性、集団行動癖、外国の猿マネ化に繋がったのは言うまでもない。

それが戦後、新たな支配者となったアメリカに対する、丸山眞男の「間違った戦争」観に始まり、朝日新聞の従軍慰安婦報道、大江著『沖縄ノート』および氏のアメリカでの「米国の民主主義を愛する人たちの作った憲法だからあくまで擁護すべきだ」（このゴマ擂りは余りに露骨である）云々等は、すべて「村」人のゴマ擂り歴史的古層から出たものである。と同時に、権力を失った者への弱い者いじめ（「村」八分）でもあるが、それらは歴史的古層から無意識に出たものであるから、彼らにその自覚がないのは当然である。それは「国際社会の恥」も同様である。

そうであれば戦後民主主義も単なるゴマ擂り民主主義でしかない。いったいそれを支持する根拠はどこにあるのか。つまりその価値観のために「死ねるか」（それだけの絶対的価値があるか）、ということである。私はほぼ「0（ゼロ）」だと思っている。子供の戯言となんら変わらない。

私は戦後の口先、ゴマ擂り民主主義者をまったく信用していない。私は彼らより遥かに自己の歴史的古層を見下ろすことのできる人間だと自認しているが、武士道のために死ぬことはできても、民主主義のためにはできない。そも彼らは国家のために「死ぬ気」がないから民主主義（日本国憲法）を擁護するのである。

彼らは仮に中国が攻めてきたら、「中国の共産主義を愛する人たちの作った憲法だからあくまで擁護すべきだ」と言うに決まっているのである。国を守る気がまったくないのである。

そも「村」人には国家意識そのものがない。そのことは、日本人の愛国心のなさが世界（国際）的に群を抜いていることからも明らかだろう。彼らに国を守る気があるのなら、徴兵制とまではいかぬにしても、それがどういうことか、三島のように自衛隊に体験入隊くらいはすべきである。しかし口先人間はどこまでいっても、口先だけの「逃げ走る」「客分」なのである。

それは戦後民主主義など（その歴史的古層において）誰も信じておらぬ、ということである。ただの鸚鵡の暗記である。

そも人は、自らが作り上げた思想に殉ずることはできても（たとえば三島）、暗記した借りもののためにはできない。

それは戦前の天皇制国家において武士出身者はともかく、「村」人にとっては借りものでしかなかったから、敗ければさっさとアメリカ製の、命の得になる借りものの日本国憲法に乗り換えたのである。戦後民主主義を支持する根拠とはそれだけである。その真の価値観を信じている者など誰もいない。ただ新領主・アメリカ頼みである。なぜなら民主主義を生み出せるような歴史的古層を、「村」人はまったく持っていない。それに近いものを生み出せる者がいたとしたら、それはかつての武士だけである。なぜなら西洋人が民主主義に至ったのが、キリスト教であり、「我考える」であったように、武士は天皇、主君という神を持ち、そのために「考える」能力を持っていたのだから。

そうであれば、戦後の政治家、学者、知識人、ジャーナリストは、その頭にアメリカ（西洋、国際）のゴマ擂り「御用」付き民主主義者でしかないのである。つまり口先の「逃げ走る」「客分」のそれなのである。そうであれば彼らを支持する国民の知能など知れたものである。

そうなったのは、戦後の大空（うつ）け暗記鸚鵡教育にある。それは「武士道」という、

「宗教教育」の影響が色濃く残っていた明治期に輩出された数多の偉人と比較すれば一目瞭然であろう。武士の死と共に日本は死んだのである。

三島の死に理解を示したのは、私の知る限り皮肉にも、イギリス人ジャーナリスト、ヘンリー・S・ストークス氏だけだった。

第六章　東西文明の相違

戦後の日本人とは、言わば自分の頭をもたぬ大空(うつ)けだから、まったく「考える」能力がない。それはいまだにＧＨＱの呪縛から抜け出せぬこと一つを取ってみても明らかだろう。だから東西文明の相違だなどと言っても、なんのことだか分からぬだろう。

だが、まず西洋思想から入ろう。

それはニーチェとはやや異なる意味ではあるが、西洋思想とはキリスト教に縛られたもの、つまりそこには一切の進化の概念の入る余地がないことである。

それはたとえば、今日騒がれている男女平等など、オス・メス平等と言ってるような戯言だ、ということである。西洋思想とは、そうした下らぬ一面を持っているのである。

そも彼らは、生命（自然）が「無」だということが理解できない。進化の概念がないからである。

それは環境（自然）から情報を本能（あるいはそれに類するもの）に取り入れ、下降・蓄積し、その情報の下に環境に適応できる（生き延びられる）ための情報を、生の上昇によって身体（肉体）を変異させることを進化という。そしてその無である情報の下降および情報の上昇を言語（価値）化し、進化したのが人類である。つまり言語情報の下降および言語情報の上昇の交錯するところに、意識の流れとしての「有る」という「時間と空間と」を人類は生み出したのである。

しかもヨーロッパは古代より戦争社会であったから、そのためには「我」で「考える」方が有利であったが、生命にはそれを防げる本能としての群れ本能的価値が「我考える」を許さなかった。それをデカルトは「人は自分で神を作り出し、それに隷属する」という神の保証によって愛国心をもった戦争に強い個人（「我」）を作り出すという、からくり哲学を生み出すに至った。

しかもその「我」はさらに戦争に強い自然科学を生み出し、そこから産業革命を通して資本主義という国家の経済基盤を築き上げ、より強い国家を作り出すことに成功した。

そしてその行き着いた先が、キリスト教民主主義である。それはルソーが『社会契約論』で言う「そして統治者が市民に向って『お前の死ぬことが国家に役立つのだ』というとき、市民は死なねばならぬ」という徴兵制の根拠ともなったのである。もっともこんなことを「逃げ走る」「客分」の歴史的古層を生きる、戦後のゴマ擂り民主主義者に言っても無駄だろうが。

ストークス氏も言うように、民主主義とは白か黒かの決着を付ける政治思想である。それはたとえば議会に一〇〇の議席があり、その内の五一を取った政党が政権を担当する政治システムであるから、選挙によって与野党が逆転すれば、前政権の政策がすべてひっくり返されることも起こり得る。これはある意味最低である。

それに対して日本人は、古事記の昔から「灰色の決着」で丸く収めることを常としてきた。つまり人々は談合によって「皆が同じように損をする」ことによって「和」を図る社会を営んできた。この事実は、民主主義など福沢の母親の思想より劣る、ことを意味する。

これは武士においても見られ、徳川幕府、明治新政府にしても、完全に敗者の息の根を止める、ということはしなかった。

それは戦後民主主義においても傾向は同じで、自民党幕府の下に野党という外様がいるだけである。しかもその外様は、ただ外野から野次を飛ばすだけの能力しかないことを、かつての民主党が証明してしまった。そして今日においてもその野次は、「国際社会の恥だ」などと言うお粗末なものである。

つまり現今、行われているのは、灰色の民主主義という談合派閥主義に過ぎぬのである。

民主主義の根底にある白か黒かの決着の世界は、ヨーロッパ戦争社会においての、敗者の息の根を完全に止める、という歴史的古層に根差している。それは古代ローマ帝国のカルタゴへの仕打ちにも見て取れる。だから私の西洋に対する視点から見れば、ヒトラーのホロコースト、アメリカの原爆投下もそれほど異常なことではない。

ところでそこに至るまでの、デカルトの神の保証に基づく「我考える、故に我あり」には大きなからくりがある。私はこのからくりを読めた人を知らない。

彼の行ったことは、その言語情報の下降および言語情報の上昇の交錯するところの意識の流れとしての「有」から、その基底部にある、生命が本来もつべき情報の下降および情報の上昇としての無（自然）を、神の保証の下(もと)に抜き取ってしまったのである。つまり彼の哲学に身体（肉体）がないとは、生命が本来その基底部にもつべき自然という無がない、すなわちニーチェの言う「肉体のもつ大いなる理性」「肉体のなかに住む『本来のおのれ』」を、キリスト教という神の保証の下に抜き取ってしまったのである。

　これがニヒリズムに繋がるのだが、では、なぜそのようなことをしたのかと言えば、そもキリスト教という宗教が、砂漠という「0」（無）の土地に生まれたものであれば、そこにおいて「0」の概念は否定され（それは古代インドに生まれ）、「1」から成る「有の数字」の思考に走るのは当然である。それによって自然という「無」の世界は、神の保証の下に否定・侵略され、そこから「有の数字」から成る自然科学、さらに産業革命を経て、資本主義へと発展していったのである。その彼らの自然（無＝肉体）のないことが、ニーチェの言うキリスト教・ニヒリズムを生み出すことになるのである。つまりそのことによって、キリスト教（有）だけが唯一の価値となり、その他の非キリスト教的価値は無に分類され、抹殺の対象となったのである。それがすでに挙げた挙げたホロコースト、原爆投下、さらに（キリスト教を歴史的古層に持つ）共産主義思想の虐殺の根拠となったのである。

さらにニヒリズムについて言及する。

ニーチェのニヒリズムは、仮に彼が日本人の歴史的古層を持っていたとすれば、それは単なる無で終わっていただろう。

無とは、進化の逆行により原初のヒトにまで価値を脱落し、――これはまた原初の本能的価値にまで戻るということであり――ただ価値を失った無の世界に戻るというだけのことである。そして価値イコール言語であるからして、その無価値の世界を言語で表すことはできない。それが無の世界である。

ニーチェにもそれとまったく同じことが起こったのだが、ヨーロッパは戦争社会であり、それを強化するためにキリスト教が利用されたのであれば、すでに述べたようにデカルトは、ヒト（生命としての自然人）の本質としてその基底部にある無（自然＝肉体）を、キリスト教を根拠に抜き取り、「有」（意識）としての「我考える」だけにしてしまったのである。

この意味するところは、ヒト（生命）の基本である本能的価値――中でも群れ本能的価値――を破壊し、代わりにそこを「『我考える』キリスト教集団価値」に置き換えたのである。この「集団価値」は「我」に基づいているから、それぞれ個人はばらばらであるが、戦時においては「キリスト教価値」の下に集団化するものである。

つまりニーチェにも「無」同様に、進化の逆行による価値の脱落が起こったのだが、ヨーロッパ人である彼は、生命としての正常な本能的価値を歴史的古層に持たず、彼のその群れ本能的価値に当たる部分は、「我考える」キリスト教集団価値という片端なものに思想進化してしまっていたが故に、彼はニヒリズムに陥ることになったのである。

つまり彼は、進化の逆行によって価値を脱落したが故に、正常な本能的価値

（無＝自然＝肉体）に戻ろうとしても、そもそこに群れ本能的価値（肉体）はなく、――彼が「肉体」に拘った理由もそこにあり――しかも価値の脱落によって、人工的に（あるいは変異によって）作られた「我考える」キリスト教集団価値も脱落してしまったから、――ただし「我考える」は非論理的ではあっても残されていても――その場所に穴が空くことになり、それによって、言わばサルの本能にまで価値が脱落するという、もはやサルともヒトともつかぬ苦の状態にまで陥ってしまったのである。そして彼がたとえキリスト教を否定しても、彼はヨーロッパ・キリスト教文明の歴史的古層を生きてきたから、無意識の層において「我考える」までは否定できなかった。つまり彼はヨーロッパ・キリスト教文明を否定しながらも、「我考える」までは否定できぬという、矛盾した思想のなかを生きざるを得なかったが故に、それによって彼は、サルからヒトへの進化の過程に生み出される神話（思想）としての『ツァラトゥストラ』を創作することになったのである。

すなわち彼をして、ヨーロッパ・キリスト教（『聖書』ではない）文明には、生命（肉体）の持つべき無が――それを彼はニヒリズム（虚無）と表現するしかなかったから、彼のその概念は誤解を招くことになったのであり――その無（肉体）がないが故に、キリスト教は真面（まとも）ではないとして激しく非難したのである。そしてそれはその後の西洋文明史が証明することになる。

その意味するところは、ヒトという自然人が、西洋文明という有の数字から成る、人工的非自然文明を発展させても、人類がそこで幸福に暮らせるわけがない、という知恵が彼らにはないのである。それだけ西洋文明の「我」は無智にして、傲慢だということである。

それはたとえば、「核兵器のない世界」などという愚かさにも見て取れる。自らの思想が生み出したものを、自らのそれで否定できる訳がない、ということが分からない。

が、いずれにしてもこのニヒリズムは、狂気とすれすれの異常さであると同時に、激痛の世界でもある。ニーチェはこの不可解な昏迷の思考の末、狂気に陥ることになったのである。

ところで西洋人が労働を嫌う理由も同じところから来ている。本来、労働とは好き嫌いの問題ではなく、生きることそのものとして、「無」という自然と向き合うこととなのだが、彼らの「有」の思考法はそれに向き合うことを嫌うことになった。しかも彼らの「我」は、群れ本能的価値を否定したものだから、労働における仲間との共感性価値である「和」の価値観がない。それを日本的に言えば「一緒に働いていても楽しくない」ということである。

すなわち、彼らが労働価値説などという、労働を「有の数字」で計るというやり方は、そもそれが楽しくないから、それに価値を付け、それを欲望（有）という価値に代替しただけのものである。つまり資本主義とは、欲望の資本主義だ、ということである。しかも欲望とは明確に数値化できるものではないから、彼らは金融資本主義などという、——肉体のない数字だけから成る——どこに実体があるのかも分からぬ市場経済を生み出すことになったのである。

これとまったく対照的な労働価値観をもっていたのが、かつての日本人である。それはこれまで再三述べてきたが福沢の母親が代表例となろう。

彼女は乞食女の虱を取ってやることを楽しみとし、その取らせてくれた褒美に飯まで食わせてやるのである。武士である福沢にしてみれば戯けたことのように映ったかもしれぬが——なぜなら武士である彼は「考える」という損得勘定ができたから——だが当時の女性としては、特段異常なことではなかったようである。

しかし彼女の良い意味での大戯けの歴史的古層は、戦後の日本人に馬鹿戯けとして受け継がれることになった。

戦後日本が、驚異的な復興を成し遂げられたのは、そこに「和」の社会があったのと同時に、この労働価値観があったからである。

たとえば、私は戦後間もなく、仕事が楽しくて一週間も家に帰らなかった男の話を知っている。この意味することは、たとえ過労死しても本望だ、ということである。その過労死が今日、悪となったのは日本人が労働を嫌うようになったからである。つまりできるだけ労働時間が少なく、賃金の高い職を求めるようになった、ということである。

さらに戦後の日本人は、自らの頭で「考える」ことができぬから、その意味も解さずに労働価値説なるものを有難がる仕儀に至った。つまりその事実はなにも「考えず」に資本主義を受け入れたということであり、それによって日本人を労働嫌いにさせてしまったのである。

私はここまで書いてきて、改めて西田の偉大さに気づかされた。

確かに西田哲学は失敗に終わったと言えるかもしれない。

彼はレーヴィットの言う、二階の西洋哲学と階下の「無」とを繋ぐ「梯子」を見出すために生涯を捧げたのである。

ただ彼は西洋哲学が意識のそれであり、無が「肉体のなかに住む『本来のおのれ』」であるというまったく異次元の世界であることに気づかず、さらにその進化が本能的価値を変異させ、西洋人にあってはもはや日本人のもつ群れ本能価値を持たず、それが「我考える」キリスト教集団価値に変異していることに——ここに国民性、民族性が生まれるのであり——考え至ることができなかった。

そうであれば、完全に無を失った戦後の日本人は、まったく「考える」能力をなくしてしまったが故に、暗記鸚鵡になるしかなかった。しかも空っぽ頭だから、自分の頭が空っぽだという自覚もできない。そんな国民から成る国は、単なる口先、ゴマ擂り民主国家でしかない。

この国は武士の統治能力と、「村」人の労働好きとによって成り立っていたのだが、その双方を失うことはまさに亡国を意味する。またそこに戻れるだけの思想も取りもどせまい。

あとがき

私はパソコン、スマートフォン等の情報機器をまったく使ってこなかった。それを私は今まで世代間の違いによるものだと思っていた。が、つい最近そうではなく、私は他人から与えられるなんの根拠もない情報によって、洗脳されることを嫌ったが故であることに気づいた。

私が信じられるのは根拠のある情報である。それはニーチェの言う「肉体のもつ大いなる理性」「肉体のなかに住む『本来のおのれ』」である。そしてその情報が私の場合、自らの「肉体のなかに住む『歴史的古層』」だと気づいた。

私は日本人である。日本人の歴史的古層は武士道（禅）と「逃げ走る」「村」人とのそれである。そして戦後、武士が存在しなくなれば、存在するのは後者だけである。

民主主義は「逃げ走る」「客分」のやることではなく、「主人」のやることである。つまり戦後「村」人民主主義とは、口先、ゴマ擂りのそれでしかない。私は武士道に命は賭けられても、そんな借りものにはできない。また多くの日本人もいざとなったら「逃げ走る」だろう。なにせ、日本国憲法という、自国の主義主張を他国に作ってもらうという体たらくだから。

従って私は戦後日本をまったく評価しない。

三島はどこかで「このまま行ったら『日本』はなくなってしまふのではないか」と書いていたが、私はもうなくなっていると思う。

それはたとえばスポーツ一つを取っても、勝って喜べる人間のいることである。喜べるとは、それは多くの敗者の上に成り立っている、ということである。つまり敗者の気持ちが分からぬから喜べるのである。

本書では取り上げなかったが、幕末、イギリス人・ブリンクリが武士の果たし合い見ていて、勝者が敗者の屍を自らの羽織で覆うと、その前に跪(ひざまず)き合掌したのに、ひどく驚かされたという。武士は戦士だから戦わねばならなかったが、勝つことに必ずしも西洋人のような喜びは覚えない。

たしかに勝負に拘らぬ心境になるには、それなりの道徳、そして武士にあっては修行が必要だろう。

だがそれらは、戦後まったく失われてしまい、西洋の「有の数字」の思想を猿マネするに至った。つまり勝ちは幾らになるという「私利」に変わったのである。だからスポーツにドーピングという不正が入り、民主主義においても同様である。

昔の日本人は「無心」になり「私欲」(己)に勝つことを修行の目的とし、誇りとしてきた。だから他者に勝つことは大きな目標ではなかった。むしろ自己に勝ち、他者と「和」することに喜びを覚えるような民族だった。

それに対し西洋思想は、民主主義にしろなんにしろ、個人主義に基づいているから、和とは無縁なロクなものではない。それをなんでも西洋を猿マネし崇め、自国を自虐的に見るのが、戦後日本人の愚民性である。

それは日本人が平和に暮らしてきたが故に、「考える」能力がまったく発達してこなかったことに由来する。

たとえば女性政治家が多かろうが少なかろうが、そんな事はどうでも良いということが分からない。日本人が「考える」とそれは単なる西洋の猿マネになる。「考える」能力がないから「自分は自分だ」という意見がない。周囲の顔色を窺って、それを自分の意見にするのである。

日本女性には日本女性の歴史的古層がある。もし自分に余裕があるなら、福沢の母親のように食うに困っている人を助けることに喜びを見出すことこそ、日本女性（大和撫子）の価値ではないのか？　それが政治家であろうと、庶民であろうと変わるものではない。

ただ西洋を猿マネして、女性政治家が多い少ないなどと言ってる人間は、単に頭が悪いというより、もはや「病気」である。

むしろ仮に西洋人がそういうことで難癖をつけてきたら、私は正面から反論するだろうが、しかしもし彼らが「お前たちは軍隊も持てぬ病人か」と言われたら、日本人が「逃げ走る」「客分」という空っぽ頭病に罹（かか）っていることを認めるだろう。そしてもはや国家でもないことも。そも国家ではなくペットの国だから、女性政治家が多い少ないなどという下らぬことを議論するのだと。

そんな日本を見ていると、つくづくこの国の終焉に立ち会っている気分になってくる。

著者プロフィール

堀江 秀治（ほりえ しゅうじ）

昭和21年生まれ。東京都出身、在住。
慶應義塾大学を卒業、その後家業を継ぐ。
特筆に値する著書なし。

ある文明の終焉 無とニヒリズム

2021年8月15日 初版第1刷発行

著 者 堀江 秀治
発行者 瓜谷 綱延
発行所 株式会社文芸社
〒160-0022 東京都新宿区新宿1-10-1
電話 03-5369-3060（代表）
03-5369-2299（販売）

印刷所 株式会社フクイン

ISBN978-4-286-22953-9